Golygyddion Cyfres y Dderwen:
Alun Jones a Meinir Edwards

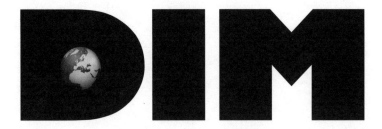

Dafydd Chilton

y Lolfa

Argraffiad cyntaf: 2012

Comisiynwyd y gyfrol hon gyda chymorth ariannol
Adran AdAS Llywodraeth Cymru

Cynllun y clawr: Dafydd Chilton a'r Lolfa

Rhif Llyfr Rhyngwladol: 978 1 84771 438 1

Cyhoeddwyd ac argraffwyd yng Nghymru
gan Y Lolfa Cyf., Talybont, Ceredigion SY24 5HE
gwefan www.ylolfa.com
e-bost ylolfa@ylolfa.com
ffôn 01970 832 304
ffacs 832 782

Dim

1. *eg* Peth nad yw'n bod, nad yw'n cyfrif; y ffigur sy'n cynrychioli diddim, dimnod, sero; diddymdra: *nothing, nought, a thing of no account; zero; nothingness, utter insignificance.*

2. *eg* (*lluosog* dimiaid) Pryfyn o dras hynafol, tebyg i ddiferyn o arian byw hirfain: *silverfish*

Agoriad

Roedd yn ddyn cefnsyth yn ei dridegau hwyr. Eisteddai'n sgwâr ar gadair galed wrth fwrdd mawr y gegin lle'r oedd papur newydd. Gorweddai ei ddwylo brown â'u cledrau ar i lawr o boptu'r dalennau dieithr, heb eu cyffwrdd. Ond ar y papur roedd ei sylw.

Symudai ei lygaid yn araf ac yn ofalus ar hyd y rhesi o luniau pen-ac-ysgwyddau a argraffwyd o un ochr y dudalen ddwbl lwyd i'r llall. Oedai ei olwg am eiliadau ar bob llun. Roedd yn astudio'r wynebau, yn dwyn i gof yr enwau. Ac yn darllen y broliant byr, coffadwriaethol, o dan bob un.

Gafaelodd yn ochrau'r gadair a'i symud hi'n ôl, heb grafu'r llawr teils coch, glân, codi ar ei draed a cherdded draw at y sinc. Rhwng ei aeliau roedd rhigolau dwys duon ac roedd ei enau amlwg wedi eu brathu'n dynn.

Estynnodd y tegell a'i ddal dan y tap a throi dŵr iddo. Taniodd y nwy yn un o'r pedair coron ar ben y popty a rhoi'r tegell i dwymo. A throdd yn ôl at y sinc. Pwysodd arno, a chael ei ymyl yn oer dan ei ddwylo.

Yna, cododd ei olwg i edrych drwy'r ffenestr gwareli bach â'r ymylon calchog. Edrychodd o du ucha'r buarth cerrig a'i lwch, heibio'r ysgubor a'r certws ac i ochr arall y cwm, at fron Cader Berwyn. Edrychodd, a dal i edrych, ac yn raddol fe ymwthiodd mwynder y llechwedd melynwyrdd i'w feddyliau. Dechreuodd glywed ei dawelwch. Llaciodd ei dyndra fymryn...

Gwichiodd y tegell.

Estynnodd fŵg, un Cymdeithas yr Iaith â'r gair 'Rhyddid'

arno mewn ysgrifen Solidarnosc, a chwdyn te, a llaeth o'r oergell. A gwnaeth ei baned. Aeth â hi allan ac eistedd ar garreg y drws â'i gefn yn erbyn y ffrâm.

Sipiodd yn ofalus; roedd y te'n boeth. Ond cadwodd ei ddwy law o gwmpas y mŵg i gael cysur y gwres.

Yna teimlodd yr emosiwn yn codi drwyddo a rhoddodd y mŵg i lawr. Tynnodd ei liniau at ei fynwes a gosod ei freichiau ar eu traws. A'i dalcen i bwyso ar y rheiny.

Yna'n dawel, a'r gollyngdod yn ysgwyd drwyddo, fe wylodd.

1
Rhwng y brwyn

Trodd y car i fuarth yr hen ffarm fynydd a pharcio gydag ochenaid dan eildo'r certws. O sedd gyrrwr y car daeth dyn yn ei bumdegau, dyn cydnerth, rhwydd ei symudiadau. Roedd yn llewys ei grys gorau, ond yn gwisgo o hyd ei het gantel frown a daflai gysgod diwedd prynhawn dros ran uchaf ei wyneb a phâr o lygaid llwydlas. Estynnodd ei law lydan hael at handlen drws cefn y car a phwyso'r botwm bawd.

"Diolch, Yncl Richard!"

Powliodd dau fachgen deg ac un ar ddeg oed allan o'r car a rhedeg i fyny'r buarth. Dilynwyd y ddau gan lais blinedig gwraig yn mynnu, o sedd y teithiwr blaen, eu bod yn tynnu eu hesgidiau *cyn* mynd i'r tŷ.

"Gad iddyn nhw, Enid," meddai'r dyn yn dyner. "Mae'n iawn iddyn nhw gael 'mollwng."

Dal i rwgnach a wnâi'r wraig wrth iddyn nhw godi gweddillion y *fancy dress* o fŵt y car a mynd â nhw, y bocsys cacenni a brechdanau WI, bag eu cinio a'u cotiau, i mewn i'r tŷ.

"Hwde," meddai Richard Lloyd. "Mi wna i baned. Rho di dy draed i fyny."

Ond doedd wiw i Enid Lloyd ollwng awenau'r tŷ i neb, blinder neu beidio, ac i'r llofft i newid yr aeth ei gŵr, fel y bechgyn.

Pan ddaeth Richard Lloyd i lawr i'r gegin, roedd ei wraig

yn gosod y bwrdd yn barod i de. Y tu ôl iddi, ar y soffa, eisteddai'r ddau fachgen. Synhwyrodd Richard Lloyd, o weld y ddau yno a'r olwg chwip din ar eu hwynebau, fod yna bechu wedi bod. Cododd ael ar y bechgyn a gofyn i Enid Lloyd beth oedd o'i le.

Chwifiodd hithau lond llaw o gyllyll a llwyau i gyfeiriad y ddau euog.

"Mae Pwt a Moi fan hyn..." meddai a dechrau gosod y bwrdd, "yn meddwl bod y ffyn pys a ffa newydd 'na, y rhai brynes i o farchnad Pen y Beili 'rwythnos ddwetha, yr union beth y mae bechgyn bach eu hangen i neud gynnau paffio." Edrychodd yn llym ar y ddau, "A'u malu nhw mewn ryw ffŵl o gêm ryfel, m'iwn." Edrychodd ar ei gŵr.

Cyn i Richard Lloyd fethu â chadw ei wyneb syth fe ddywedodd wrth y bechgyn, "Ie, ddyliech chi ddim cymryd ffyn pys a ffa eich Anti Enid." Yna ychwanegodd, "Ond, mi dwi'n dallt eich awydd chi." Taflodd olwg sydyn i gyfeiriad ei wraig. "Isio reiffls ydech chi, ie?"

Nodiodd y ddau â'u hwynebau'n goleuo. Gan osgoi edrychiad ei wraig aeth Richard Lloyd yn ei flaen.

"Os ewch chi i'r certws, ac edrych yn y cefn y tu ôl i'r fainc gneifio, mi welwch chi ddwy neu dair alsen. Dewiswch un, ewch â hi i'r gweithdy a llifiwch hi yn ei hanner – mi 'dech chi'n gwybod sut i lifio'n saff 'n dydech chi." Nodiodd y ddau unwaith eto. "Mi neith reiffl iawn bob un i chi."

Edrychodd y ddau arno, yn torri'u boliau isio mynd ond heb fod yn siŵr a ddylien nhw, rhag ofn bod mwy o drefn i'w ddweud.

· Edrychodd Richard Lloyd ar y ddau, ar eu hwynebau

glân, awyddus, a gwahanol i'w gilydd. Yna gwenodd. "Ffwr' â chi'r tacle."

Sgathrodd y ddau am y drws a thrwyddo gan geisio gwisgo'u hesgidiau trymion a rhedeg ar yr un pryd.

"Peidiwch â bod yn hir," meddai Enid Lloyd yn uchel. "Bydd te'n barod mewn llai na hanner awr." Wedi iddyn nhw fynd, cododd ael ar ei gŵr. "Rwyt ti'n sbwylio'r bechgyn 'na."

"Yndw," atebodd Richard Lloyd yn serchog a dechrau gwisgo'i esgidiau. Tynnodd ar y careiau a'u tynhau. Yna edrychodd ar ei wraig yn torri pentwr o sleisiau gwyn o dorth fawr newydd felen. "Ac rwyt tithau hefyd."

Roedd hi'n ddeng mlynedd ers i Gwyn ac Owain ddod atyn nhw i Flaencwm – deng mlynedd ers i Fargaret Tŷ Newydd, eu mam, farw wrth roi genedigaeth i Owain, ac ychydig yn llai na hynny ers i Emrys, eu tad, hefyd farw wrth ddisgyn o ben tas wair ar slabiau carreg las yr hen lawr dyrnu.

Emrys oedd tin y nyth teulu Blaencwm a Richard Lloyd yn frawd hynaf iddo. Gan fod Richard ac Enid Lloyd yn ddi-blant roedd hi'n naturiol ddigon, pan fu farw Margaret, i Enid fynd i Dŷ Newydd am gyfnod i helpu Emrys efo'r ddau fach. Pan fu farw Emrys, daeth Enid â'r bechgyn i Flaencwm.

Aeth Richard Lloyd o'r tŷ, ac wedi cau'r drws ar ei ôl arhosodd wrth y giât fach ac edrych i lawr y buarth at ddrws agored y gweithdy. Ymhen munud neu ddau daeth y bechgyn i'r golwg – eu gwynt yn un dwrn a'u tamaid alsen yn y llall. Fe welodd y ddau Richard Lloyd a throi i'w gyfarch.

Cododd Gwyn ei law yn llawen a galw ei ddiolch.

Cododd Owain ei alsen yn uchel. Dyrnodd hi i'r awyr fel gwron yn taro salíwt ar ei ffordd i'r gad.

Teimlodd Richard Lloyd ias oer yn llithro i fyny ei asgwrn cefn ac yn crychu blew ei war.

Roedd rhyfel – a'r Ail Ryfel Byd yn benodol – yn dal i fod yn fara beunyddiol y wlad, er bod pymtheng mlynedd a mwy wedi mynd heibio ers iddo ddod i ben. Roedd hi'n anodd dychrynllyd ei osgoi, a'r hyrwyddo a oedd arno o hyd. Roedd gwleidyddion, papurau newydd, y BBC, ffilmiau, cyhoeddwyr comics plant, pawb a oedd yn uniaethu â'r cryf a'r cyfiawn yn dal i ymborthi ar ysbryd a phrofiadau Y Rhyfel.

Cododd Richard Lloyd ei law i atal y bechgyn. Yna gadawodd iddi ddisgyn yn ôl i'w ochr. 'Neno'r Tad, bechgyn oedden nhw. Roedd yn iawn iddyn nhw gael eu hwyl. Ond roedd ei gydwybod yn cnoi.

Ar y llethrau uwchben Blaencwm gorweddai sgerbydau ac injans awyrennau bomio *Lancaster* a *Flying Fortress*, a'r rheiny ond yn weddillion dwy o'r anffodion milwrol a fu ar y Berwyn.

Ond fyddai gwaharddiad ar y ddau fachgen rŵan ond yn cynyddu'r hudoliaeth a oedd yn ysgogi eu chwarae rhyfel. Rhwbiodd Richard Lloyd fawd a bysedd gwydn ei law dde yn erbyn ei gilydd a gwylio'r milwyr bach yn mynd o'r golwg heibio i gornel y certws. Daliodd i edrych am rai eiliadau. Yna sgwariodd, ac aeth i ollwng y cŵn a'u bwydo.

*

Heb fod ymhell o Flaencwm, i fyny i gyfeiriad Bwlch Maengwynedd, mae Nant y Ceirw – nant fechan fyrlymus sy'n tarddu o ystlys Cader Bronwen ac yn cwympo'n whisgi am oddeutu chwarter milltir i lawr o'r grug cyn glanio, â'i thraed i fyny, yng ngwaelod y cwm. Yno mae hi'n cyfarfod â nant fynydd arall, y Llawenog, ac yn ymuno â hi – ei chwmpeini cyntaf ar ei gwibdaith dragwyddol i lan y môr.

Wrth bowlio i lawr o'r fron mae Nant y Ceirw'n llifo dros a thrwy greigiau cennog glas ac yn sbaclo gwreiddiau hen hen griafolen. Yn union o dan y creigiau a'r griafolen, mae hi wedi cafnu cyfres o byllau, dim mwy na dysgl does, ag ymylon o gerrig mawrion llyfn a styciau o frwyn a chlustogau tyn o laswellt byr y mynydd. Yma y daw'r adar, y sgwarnog, a'r defaid sydd wedi cymryd lle'r ceirw, i yfed, yn dawel ac yn ddifygythiad. Yma hefyd y dôi Gwyn ac Owain i chwarae.

Y prynhawn hwnnw, Owain oedd yn arwain. Rhedodd at y wal a safai ar ochr Blaencwm y nant ac a rannai gaeau'r ffarm oddi wrth y mynydd, a swatiodd yn ei chil. Galwodd Gwyn ato â'i law a gwneud arwydd iddo swatio yn ei ymyl.

"Own ni drwy'r giât i'r rhedyn 'rochr isa i'r ffordd," meddai'n ddistaw rhag i'r gelyn glywed, "a *crawl*-io drwy'r rheiny at y nant. Wedyn nown ni neidio dros y nant, mynd i fyny ar hyd 'i hochor hi a'u hatacio nhw o'r tu'n ôl." Roedd hi'n gêm debyg i'r un roedden nhw wedi ei chwarae yn y *Fête* yn gynharach efo Mike, milwr o arddangosfa'r Fyddin Diriogaethol.

Cyn hir roedden nhw'n gorwedd ar eu boliau wrth y nant. Pwyntiodd Owain at y brwyn.

"Dyna'r *enemy* yn fan'na. Pan dduda i'r gair, nown ni eu h*ambush*-io nhw. W't ti'n barod?" Nodiodd Gwyn.

Ond doedd o ddim yn barod. Roedd chwarae *army* wedi bod yn iawn yn Llan efo Mike. Ond yma yn y cwm, wrth y nant, roedd yn beth dieithr, ac od. Ac yn ei flino. Pan neidiodd Owain ar ei draed, dros y nant ac i ganol y brwyn, arhosodd Gwyn lle'r oedd o. Gwyliodd ei frawd am ychydig yn curo ac yn chwalu'r tuswâu gwyrddion. Gwrandawodd ar y ffrwydradau gwefus a boch, rhuglo'r gwn peiriant trwynol ac ar y bloeddiadau: *"Machine gun on the left. Get down, Johnny! Attack! Attack!"* A gwthiodd ei alsen i ganol y rhedyn, o'i olwg.

Edrychodd i'r nant, i'w llif disglair byw, a chlywodd ei feddyliau'n rhedeg iddi ac efo hi. Llithrodd ei law yn raddol i ganol bwrlwm y swigod lle disgynnai'r ffrwd i bwll a gadael i ymylon y pelennau gloyw gyffwrdd hyd ei fysedd a'u cosi â gwefr oer eu chwalu. Cododd ei lygaid i edrych ar Owain. Ac nid arwr rhyfel a welai, yn chwalu gelynion y *Victor* a'r *Hotspur* a'r *War Picture Library*, ond bachgen yn chwalu brwyn. Meddyliodd am ddeheurwydd Yncl Richard wrth iddo blethu swp o'r gwiail gwyrddion i wneud rhuglen frwyn iddo, ac amdano fo'i hun yn gynnwrf i gyd wrth nôl cerrig o'r nant i'w rhoi yng nghloch y rhuglen, i wneud y sŵn. Meddyliodd mor falch yr oedd o, wedi iddo lwyddo am y tro cyntaf i wneud chwip pryfaid at yr haf. Ac am Anti Enid yn gwneud basgedi bach iddo fo ac Owain adeg hel mafon duon oherwydd bod ei sosbenni'n rhy drwm iddyn nhw ill dau eu cario.

Sylwodd Owain arno'n dal i orwedd yno a synhwyrodd

bod pellter mwy na lled nant rhyngddyn nhw. Gadawodd y gorchfygu ac aeth i eistedd yn ymyl ei frawd.

"Beth am i ni fynd yn *commandos* a dringo ar draws y nant er mwyn chwythu i fyny'r *bomb factory* 'na'n fan'cw?" Disgrifiodd y llwybr â'i fys: i fyny'r graig at y griafolen; ar draws y nant ar hyd ei changen isaf hi; neidio o'r gangen i'r graig gron 'na'n fan'cw; ac yna draw i'r wal gerrig, wal y 'ffatri'.

"Sbia, mi iwsiwn ni rhein fel *explosives*," a thynnodd ddwy getrisen wag o'i boced. "Cyma di honna ac mi gyma i'r llall."

Cymerodd Gwyn ei getrisen. A chododd y ddau fachgen ar eu traed a loncian i fyny i'r creigiau at y griafolen. Munud neu ddau'n ddiweddarach roedd Owain yn symud ar hyd y gangen fawr isaf ac uwchben y nant.

"O na!" gwaeddodd. "Ma'n nhw 'di 'ngweld i. Ma'n nhw'n dechre saethu! Rhaid i mi neidio!"

Gwyliodd Gwyn wrth i'w frawd droi ar y gangen a gwthio ei hun oddi arni. Hedodd i lawr at y graig, ei freichiau ar led, ei glos byr yn clepian o gwmpas ei goesau, a'i siwmper wau werdd yn llenwi fel hwyl am ei gorff a'i freichiau.

Cyrhaeddodd ei esgidiau trymion y graig.

A llithro.

Saethodd ei goesau ar draws y graig a thaflwyd o i lawr yn galed ar ei gefn. Trawodd ei ben yn erbyn y graig a diflannodd y braw, a oedd wedi llenwi ei wyneb eiliad ynghynt, fel dŵr i dywod wrth i'w lygaid droi am yn ôl i'w ben a dwyn eu cannwyll a'u lliw efo nhw.

Gorweddai heb symud.

Neidiodd Gwyn ar draws y nant ac i fyny'r graig. Penliniodd yn ymyl ei frawd a chyffwrdd ei foch â chefn ei fysedd.

Roedd yr wyneb yn wyn a llonydd a'r llygaid ynghau.

Gwthiodd Gwyn ei fraich chwith o dan wddf Owain ac yna'i dde dan ei liniau. Sythodd ei gefn ac yna'i goesau. A chododd ei frawd o'r graig.

Yna, yn simsanu dan y pwysau, fe ddechreuodd, gam ar y tro, am y tŷ.

*

"Dwi'n meddwl y dylen nhw fynd i Ysgol Dre yn hytrach nag i'r Waun," meddai Enid Lloyd. Roedd hi wedi sioncio ar ôl ei phaned ac roedd y *Fête* â'i *Carnival Queen*, ei fand pres, ei drefnusrwydd a Mrs McAlpine yn beirniadu'r *fancy dress*, wedi gadael eu hôl. Ysgol fonedd oedd Ysgol Dre, un bur hen, ac roedd yn arfer gweddol gyffredin i blant teuluoedd fferm dyffrynnoedd y ffin ei mynychu.

"Hm." Tynhaodd gwefusau Richard Lloyd a chau at ei gilydd.

"Bydd o'n gyfle iddyn nhw."

"Hm."

"Mi aeth Dewi Dolwen yno, a sbia lle mae o rŵan."

"Swindon?"

Roedd llais, rhywle, yn gweiddi.

Cododd Richard Lloyd ei ben.

"Hanner munud." Aeth i'r ffenest heb ateb y cwestiwn a ddaeth gan ei wraig. Edrychodd i lawr y buarth.

"O, 'machgen i."

Yno, ag Owain yn ei freichiau, a'i wyneb yn wyngalch

wyn gan straen ei faich a'i bryder, roedd Gwyn, yn gwegian cerdded at y tŷ.

"Enid, ffonia Doctor Emlyn."

Rhedodd Richard Lloyd am y drws.

2
Gwenoliaid

Roedd hi'n ddiwrnod cyntaf tymor yr haf yn Ysgol Dre. Ac ym mheth cynta'r bore clir hwnnw roedd yr adeiladau'n hymian, y coridorau a'r dosbarthiadau Fictoraidd yn llawn o gyffro ailgyfarfod a disgwyliad pethau ifanc, ac o gyfarch a chyfarth bechgyn o bob rhan o'r byd Prydeinig.

Camodd Owain drwy ddrws allan School House, ar hyd y llwybr rhwng y lawntydd a'r gwelyau rhosod ac i lawr y stepiau i'r *quad*. Clywai atsain ei esgidiau o'r tarmac a waliau brics coch yr adeiladau o'i gwmpas yn finiog eglurach nag yn y tymhorau cynt – y tymhorau sgarff-a-menyg, tawedog.

Clywodd hefyd yr egni a oedd yn awyr Ysgol Dre y diwrnod hwnnw. Dirgrynai fel si ar yr awel neu bigo ym môn gwallt cefn y pen. Ac o'i glywed fe sylwid ynddo rywbeth penrhydd, afreolus; rhywbeth nad oedd eto wedi ei lwyr ddisgyblu gan drefn, na'i afradu gan uchelgais a rhwystredigaethau pobl hŷn...

Croesi roedd Owain at y sgwâr cabanau, at gaban dosbarth Gwyn. Roedd am wneud yn siŵr fod popeth yn iawn efo'i frawd.

Roedd o ei hun yn hapus yn Ysgol Dre. Roedd yn mwynhau'r hwrli bwrli a thynnu parhaus y bechgyn yno ar ei gilydd. Roedd yn bêl-droediwr da ac yn aelod poblogaidd o'r *Army Cadet Force*, ac yn gwybod pa mor llwyddiannus roedd angen iddo fod yn ei waith. Ac roedd y bechgyn eraill yn edmygu ei hyder a'i feiddgarwch.

Un tro, wedi i ymdrech anghyfforddus yr athro Bioleg i esbonio'r weithred rywiol chwythu ei blwc yng nghanol chwa o gilchwerthin ac embaras, fe heriwyd Owain – gan yr athro anffodus – i wneud yn well nag y gwnaeth o. Ac fe wnaeth. A dod yn arwr ei ddosbarth, a thu hwnt, wrth wneud hynny.

Ond roedd pethau'n wahanol i Gwyn. Roedd ei dawelwch a'i diriondeb naturiol yn cael eu cyfrif yn wendid mewn sefydliad lle'r oedd cystadlu'n ddiwylliant. Roedd y canfyddiad hwnnw o wendid, wedi ei gyplysu ag eiddigedd o'i allu academaidd, ac o'r sylw a gâi yn sgil hynny, wedi ei wneud yn darged.

Wrth agosáu at y cabanau fe glywodd Owain sŵn; sŵn yr oedd ynddo gynnwrf miniog bechgyn. Roedd yn dod o ben pellaf caban dosbarth Gwyn. Cododd Owain ei draed a dechrau rhedeg.

Wrth dalcen y caban roedd yna dorf, ac roedd yn wrjio ffeit. Llamodd Owain yn ei flaen a gwthio ei ffordd drwy'r cylch *blazers* a'r cyffro unochrog i gyrraedd eu canol. Yno roedd Gwyn, ei wyneb yn waed ac yn welw, yn plannu ei ddwrn yn wyneb Alistair Watts, un o giang-feistri ei ddosbarth. Roedd yr olwg ar wyneb Gwyn yn un roedd Owain yn ei nabod, ac yn ei ofni: yr olwg honno a ddôi i'w wyneb pan fyddai'n tynnu torogen o groen dafad ac yn ei gwasgu'n slwts o waed a chroen rhwng ewinedd ei ddau fawd. Trawodd glec ergyd ei ddwrn ar draws y cylch. A baglodd Watts yn ei ôl a disgyn ar ei din ar lawr â llef collwr a llif o waed yn tasgu o'i geg. Dechreuodd grio. Camodd un o fêts Watts allan o'r cylch bechgyn y tu ôl i Gwyn a chodi ei ddwrn i'w daro yng nghefn ei ben. Camodd Owain o'i flaen, rhyngddo a Gwyn, ac edrych yn dawel ddi-ofn i'r llygaid glas cynhyrfus. Ciliodd y mêt yn ei ôl, i ddiogelwch y dorf.

Roedd sŵn y cylch bechgyn wedi peidio ond doedd y cynnwrf ddim wedi anweddu'n llwyr. Aeth Owain draw at Gwyn. Rhoddodd ei law ar fraich ei frawd a'i gwasgu'n araf ond yn bendant ar i lawr. "'Na ddigon," meddai. "Rwyt ti 'di'i guro fo 'ŵan." Edrychodd y ddau ar y dorf o'u cwmpas a darllen y wynebau yno: y rhai siomedig fel cŵn wedi eu cosbi; y rhai a oedd yn dal i wenu fel giatiau yn hwyl y cynnwrf; y rhai a oedd yn oeraidd ddig o gasineb. Dechreuodd Owain gau ei ddyrnau.

Canodd cloch naw. Ac yn araf anfoddog fe chwalodd y cylch bechgyn a throi, yn glystyrau o ddau a thri, i gyfeiriad yr *assembly*. Codwyd Watts ar ei draed gan gwpl o'i giang a gadwodd eu pennau i lawr i osgoi dal llygaid y ddau frawd. Cerddodd y tri i ffwrdd yn araf, a Watts yn llusgo'i draed ac yn snwffian. Ebychodd mewn braw wrth weld y gwaed yn goferu rhwng bysedd y llaw yr oedd yn ei dal i'w geg. Yna trodd yn ei ôl, at Gwyn. A sgrechiodd drwy ei ddagrau, a'i gorff yn ystumio gan mor fawr oedd ei ymdrech,

"*Welsh Wog!*"

Ac aeth.

Trodd Owain at ei frawd. "*Prat*," meddai, yn cyfeirio at Watts, a thynnu hances o'i boced. Doedd hi ddim yn lân, ond fe wnâi'r tro i gael gwared ar olion y ffeit. "Ty'd i ni weld," meddai ac estyn at y gwefusau gwaedlyd. Safodd Gwyn yn dawel a dirwgnach a gadael i'w frawd ei dwtio. A daliodd Owain i siarad, i dawelu a chodi ei galon. Ond roedd ergyd eiriol olaf Watts wedi ei frifo, a doedd dim y gallai Owain, na'i hances na faint fynnir o eiriau, ei wneud i symud hoel y glempen honno. Roedd Watts wedi taro, a llidio hen hen friw.

Dechreuodd y ddau am yr *assembly* a daliodd Owain i siarad. Fel arfer byddai pawb hyd at y *Fifth* a'r rhai Anglicanaidd o blith yr athrawon yn mynd i wasanaeth boreol yng nghapel yr ysgol, ond heddiw roedd angen gwneud cyhoeddiad arbennig, i bawb. Ac o'r herwydd roedd yna *general assembly* yn neuadd y *gym*. Ceisiodd Owain godi sgwrs ynglŷn â'r cyhoeddiad: roedd yna si fod y Prifathro wedi ei ddiswyddo. Ond doedd Gwyn ddim yn gwrando, ac wrth groesi'r *quad* fe dorrodd ar draws parablu cymdeithasol ei frawd.

"Sbia," meddai, gan gyfeirio sylw Owain at dalcen tri-llawr School House. "Fyny fan'na."

Edrychodd Owain, ac yno, yn pwyso allan o un o ffenestri'r *dorms*, roedd Elwyn, un o'r *Wombles* – criw glanhawyr a thirmyn yr ysgol. Yn ei law roedd ganddo bolyn hir tenau ac roedd yn ei brocio'n egnïol ar hyd y bondo.

Ac oddi tano, wrth waelod y wal frics coch, roedd gweddillion nythod gwenoliaid. Yma ac acw yn y pridd a'r teilchion llwyd crynai bluen fron feddal ac roedd wyneb a gro'r tarmac yn sbacl o smotiau llifeiriol melynwy a dryllion plisgyn gwyn.

Ac uwchben y galanas roedd y gwenoliaid eu hunain, yn galw ac yn gwibio yn ôl ac ymlaen, wedi eu drysu gan ofid.

"Mae o'n deud y cyfan, 'n tydi," meddai Gwyn.

Wyddai Owain ddim beth i'w ddweud. Y cwbl a ddeallai oedd bod ei frawd mewn lle tywyll.

Rhoddodd gynnig arall ar godi ei galon.

"Ty'd o 'ne, Gwyn. Fedri di'm bod fel hyn. Mae hi'n dymor yr haf. Mae pethau da'n digwydd yn ystod tymor yr haf." Roedd ymylon genau ei frawd yn caledu ond daliodd Owain ati. "Fel yr athletau – mi gest di dy *colours* llynedd, on'd do? A'r *form entertainment*," y 'prynhawn llawen' o lol a sgetsys pan gâi'r disgyblion ddefnyddio llysenwau'r athrawon ar goedd. "Ac w't ti'n gw'bod y bydd Bongo'n dy ddewis di'n un o brif rannau pa bynnag sioe Gilbert and Sullivan mae o am 'i neud leni."

Safai Gwyn fel pe na bai'n gwrando ar Owain. Daliai i wylio Elwyn a'i ergydio. Dechreuodd Owain golli amynedd.

"Pam na 'nei di jyst 'mollwng chydig. *Relax*-io. Mwynhau. Ti'n gw'bod? *Go with the flow.*"

Trodd Gwyn at ei frawd â'i wyneb yn dynn. "Gwranda," meddai. "Pan ddes i 'ma gynta, mi nes i 'ngore glas i blesio: Yncl Richard, Anti Enid, yr athrawon, y plant, pawb. Ac mi ddysges i'n sydyn iawn bod yna gymaint o griwiau gwahanol mewn lle fel hyn, a chymaint o gystadlu rhyngddyn nhw, nad oes posib cadw i mewn efo nhw i gyd." Cododd ei ên fel ebol yn paffio ffrwyn. "Ond erbyn hynny ro'dd hi'n rhy hwyr. Am 'mod i'n ateb cwestiynau'r athrawon ac yn dod ar ben y *Form Order*, ac am 'mod i'n anfodlon ildio'n lle yno i ryw bethau oedd yn meddwl bod ennill yn hawl ddwyfol iddyn nhw, mi ges i 'ngalw'n *swot* ac yn *teacher's pet* ac yn *goody-goody*." Roedd ei lais yn dawel ond ei anadlu'n drwm. "A jyst pan o'n i'n meddwl mai dyna'r gwaetha y galle hi fod, mi gliciodd efo nhw 'mod i'n Gymro. O hynny mlaen roedd ganddyn nhw *label* i mi. Mi oedd hi'n lot haws iddyn nhw wedyn." Ac ychwanegodd yn chwerw, "Iddyn nhw a'r athrawon."

Fe wyddai Owain am wlatgarwch seisnig rhai o'r athrawon ond doedd o ei hun ond wedi derbyn ambell sylw snechlyd ynglŷn â chanu a rygbi. A doedd hynny'n poeni dim arno – allai Saeson ddim canu na chwarae rygbi mwy na blingo chwannen.

Aeth Gwyn yn ei flaen. "Wyddost ti mor hawdd ydi poeri'r gair *Welsh*?"

Pwysodd yn nes. "Paid â meddwl 'mod i'n mynd i bidlonni efo'r tacle yna jyst er mwyn 'mynd efo'r *flow'*. Mae 'na fwy nag un *flow* yn y byd 'ma – a dydw i ddim yn mynd i fynd efo'u *flow* melltigedig, blydi crach Seisnig *nhw*. Twll 'u tine!"

Doedd yr ergyd ddim wedi ei hanelu at Owain. Ond fe'i teimlodd fel petai wedi. Arthiodd ateb.

"Wel, os ydi dechrau tymor newydd yn y lle 'ma'n gymaint o broblem i ti, pam na ddwedi di wrth Yncl Richard?"

"Mae o'n gwbod."

Tynnodd Owain anadl sydyn, syn. Aeth Gwyn yn ei flaen. "A dwi 'di deud 'tho ma 'mrwydr i 'di hi."

Tawodd Owain. Doedd dim mwy y gallai ei wneud. Cerddodd i ffwrdd at ei ffrindiau.

Y tu mewn i School House, yn ei swyddfa, roedd Dai yn
barod. Roedd ei restr gyhoeddiadau wedi ei chwblhau
ac yn gorffwys yn ddisgwylgar ar y ddesg o'i flaen. Cyn
mynd i'r *assembly* roedd angen cael gair sydyn efo'r
athrawon, ond dyna i gyd. Llithrodd ei Schaeffer i sidan
poced fynwes ei siaced ac wrth godi'r cyhoeddiadau i'r
boced arall, fe safodd. Edrychodd, am y tro olaf efallai,
o gwmpas yr ystafell fach. A llithrodd ei olwg dros y
silffoedd o lyfrau da nad oedd prin wedi eu cyffwrdd ers
eu gosod nhw yno, dros y ffeiliau o ffurflenni mynediad
a'r ceisiadau am ysgoloriaethau oddi wrth rieni yr oedd
eu huchelgais yn fwy na'u hincwm, ac ar y sypiau papur
– llythyrau, taflenni, llyfrynnau, catalogau... Stwff yr oedd
angen i rywun fynd drwyddyn nhw rywbryd.

Ond nid heddiw.

Heddiw roedd o'n symud i swyddfa'r Prif – ystafell lliw
hufen a gwyn, nid rhyw frown gweinyddol a faeddwyd
yn feunyddiol gan ddiflastod a manion bechodau. Na. Lle
ysgafn, cynhaliol, llawn goleuni.

Gwenodd. Roedd y Prifathro wedi ei ddiswyddo. Roedd
wedi celu'r ffaith iddo gael ei heintio â'r ddarfodedigaeth
yn ystod y Rhyfel. A rŵan roedd o, Dai, y Dirprwy ers
cyhyd, yn cael cymryd ei le.

Teimlai chwe modfedd yn dalach a chynnwrf adenydd
gwesynnod yn ei fynwes. Trodd, gan ddal ei hun yn syth,
i edrych yn y drych hir a safai rhwng y cwpwrdd a'r
rheiddiadur haearn llwyd. Trodd i edrych ar ei broffil, ac
yna'n ôl. Roedd yn ei ŵn heddiw. Roedd ei siaced newydd

yn daclus a phlygiadau ei drowsus wedi eu presio'n dynn. Gwiriodd ei wallt. A'i esgidiau? Ie, roedd sglein caboli bechgyn y *fatigues* ar y rheiny.

A'i dei?

Roedd ei dei yn gorwedd yn syth ac yn ddi-grych o'r cwlwm i lawr at lyfnder ei fol.

Trodd oddi wrth y drych i fynd o'r swyddfa, ac arhosodd am eiliad. O'i flaen, yn crogi ar y wal wrth y drws, roedd ei lun o gastell Caernarfon. Llun du a gwyn, wyth wrth ddeng modfedd, mewn ffrâm ebonit, wedi ei dynnu o ochr draw'r Seiont, ac o ben ysgol adeg llanw isel fel bod y castell i'w weld heb ymyrraeth y cychod gwaith. Dros y blynyddoedd roedd rhyw wawr frown wedi datblygu dros y llun, ond roedd swmp a chadernid yr adeilad yn amlwg o hyd.

Pryd oedd y tro diwethaf i Dai fod yno? Pymtheng, ugain mlynedd efallai? Yn sicr ddim ers marw ei fam. Ond i ba bwrpas yr âi o bellach? Doedd dim byd yno iddo fo. Roedd siop ei rieni wedi ei gwerthu ac roedd wedi hen ddieithrio oddi wrth y rhai y tyfodd i fyny efo nhw. Bydden nhw'n dal yno, debyg, yn stiwio yn eu tebotiau *Royal* mursennaidd. Ac yn ceisio bod yn Gymry ac yn Saeson ar yr un pryd. Roedd o wedi golchi ei ddwylo o'r fath nonsens.

A heddiw, o'r diwedd, roedd ei benderfyniad wedi talu iddo. Dyma un Hogyn o Dre a oedd wedi cyrraedd.

Hedodd o'r swyddfa yn ysgafn, gan hymian ar ddechrau ei dymor haf newydd.

*

Cronnai'r dorf o fechgyn yn anesmwyth o flaen y *gym* a than yr ywen a dyfai wrth ei ddrws. Gwasgai'n llinell dynn i gerdded rhwng y ddwy res o *prefects* y Chweched. Ac i osgoi, orau y gallai, y bugeilio rheglyd a'r dyrnau parod.

Y tu mewn, safai pawb ar y naill ochr neu'r llall yn ddau grŵp disgwylgar ac aflonydd, tra edrychai'r Chweched i lawr arnyn nhw o'r galeri, yn rymus ddiddiddordeb. Pan ddaeth y neges fod yr athrawon ar eu ffordd daeth bloedd oddi wrth Bowyer-Jones, yr *Head Boy*, ar i'r rhai islaw gau eu cegau, ac ymsythodd pawb.

Daeth yr athrawon i mewn. A cherdded, yn unigolion ac yn ddeuoedd, i lawr canol y neuadd ac i ben y llwyfan yn y pen draw. Atgoffai eu parêd anniben Owain o ffrindiau Wil Cwac Cwac yn mynd am dro, wysg eu pigau, ar ddechrau *Llyfr Mawr y Plant*: Ifan Twrci Tenau, Huw Herc... Tom Tilley, Spring, Herman, Bongo a'r lleill. Ond bod y mynd hwn yn debycach yn ei effaith i lori'n gyrru heibio ar stryd gul – yn frawychus o fawr a di-hid – ac yn taro dyn ag arogleuon hen frethyn, a dillad wedi eu presio, a chwyr Cherry Blossom ac, uwchben y cwbl, surni mwg tybaco.

Safodd yr athrawon o flaen eu cadeiriau metal a phren tri thrwch i ddisgwyl yr olaf, a'r blaenaf, ohonyn nhw: Dai.

Y Prif newydd.

Hwyliodd i mewn, a'i ŵn yn llifo o'i ôl a'i fol yn brigo o'i flaen. Edrychodd o ddim i'r naill ochr na'r llall – gwrogaeth roedd Dai yn ei erchi, nid cymdeithas – a chamodd i'r llwyfan.

Nodiodd ei ganiatâd i'r athrawon eistedd a chymerodd ei le yn y canol.

A chododd y *Rev.* Darllenodd ddarn byr o *Collosians*, a gweddi'n canmol Duw am ei fendithion hael ac yn erfyn arno i'n harwain ar hyd llwybrau cyfiawnder, a dywedodd pawb Amen. Eisteddodd y *Rev.*

Ac yna, fe gododd Dai.

Daeth i flaen y llwyfan a sefyll yno.

Edrychodd ar y dorf o fechgyn heb ddweud gair.

Ddechreuai Dai ddim nes bod pawb yn dangos, yn eu hwynebau a'u hosgo, y parch a fynnai o. Crwydrodd ei lygaid o gwmpas y dorf, i chwilio am y rhai a allai fod ag angen clywed min ei dafod. Oedodd ei olwg fymryn yn hirach ar y rheiny. Nes iddyn nhw wywo'n foddhaol.

Wedi sicrhau sylw pawb fe gododd ei sbectol i'w drwyn a chlirio'i lwnc.

Daeth bloedd. Oddi wrth Gwyn. Trodd llygaid yr ysgol i edrych arno a gwyddai Owain yn syth beth oedd wedi digwydd. Roedd Dunning, un o fêts Alistair Watts o *Five Two*, wedi crafu blaen ei esgid i lawr hyd gewyn ffêr Gwyn. Roedd Dunning yn un o'r rhai a roddai glemiau ar flaenau a sodlau ei esgidiau i greu sŵn da, sŵn 'dyn caled', wrth iddo gerdded; ac am resymau eraill, fel roedd Gwyn newydd ei brofi.

Rhwbiodd Gwyn ei ffêr ac yna, gan daflu golwg filain ar Dunning, fe sythodd yn ôl i olwg Dai. Diolchodd Owain nad oedd Gwyn wedi taflu dwrn, ond gwyddai'n iawn mor agos yr oedd o at wneud hynny, a bod y cochni a lifai i'w wyneb yn arwydd o'i ymdrech i beidio.

"Well?" Saethodd y gair o enau Dai. Safai Gwyn yn llonydd, a lliw ei ddicter yn treio'n glytiau ac yna'n welwder hen gadach llawr. *"Are you finished?"*

Agorodd Gwyn ei geg i ateb.

"Get out!!"

Dechreuodd Gwyn symud trwy'r disgyblion, yn araf ond yn ddirwystr, fel petai pawb newydd ddarganfod fod ganddo afiechyd heintus.

Roedd Dai Lewis yn ddisgyblwr diarhebol o lym. Ond roedd y llipryn hwnnw *Lloyd from the hills* wedi rhoi pìn ym mogel ei anerchiad cyntaf fel Y Prif. Roedd wedi difetha un o ddigwyddiadau mawr ei fywyd. Roedd yn poeri.

"Go to my office! How DARE you interrupt ME! You IGNORANT Welsh INSECT!"

Arhosodd Gwyn.

Daliodd Owain ei wynt. Paid, Gwyn. Dalia i fynd. Dydi o'm werth o.

Trodd Gwyn a chodi ei ên.

Synhwyrodd pawb fod rhywbeth anarferol yn digwydd ac, fel un wedi ei hudo, fe wylion nhw Gwyn â'u llygaid yn grwn. Daliai Dai Lewis i fytheirio ond roedd hi'n rhy hwyr i atal dim drwy weiddi. Dechreuodd Tom Tilley a Spring i lawr o'r llwyfan.

Roedd Gwyn fel petai wedi tyfu. Roedd yna awra o'i gwmpas, rhywbeth gloyw, hud, brawychus. Roedd yn rhywun arall. Ac fel yr arall hwnnw roedd ganddo'r holl amser yn y byd i godi ei fraich...

Ac yna, ei ddau fys...

Ar Dai Lewis.

Yna torrwyd yr hud. Cyrhaeddodd Tom a Spring, a gafael yn Gwyn. Safodd yntau'n ufudd a'i ddwylo wrth ei ochr, a than ergydion dyrnau'r ddau athro fe'i llusgwyd o'r neuadd.

Chafodd Owain byth wybod beth yn union a ddigwyddodd i Gwyn ar ôl yr *assembly*. Ond fe welodd y cleisiau. Roedd y marciau coch-yn-troi'n-borffor a welodd wrth noswylio'r noson honno yn amlwg ac yn niferus ar hyd cefn a chefnau coesau ei frawd. Ddywedodd Gwyn yr un gair. Roedd yn amlwg mewn poen, ond roedd yna hefyd ysgafnder o'i gwmpas nad oedd Owain wedi ei weld o'r blaen. Ysgafnder aderyn bach. Un â'i nyth mewn lle diogel.

*

Amser cinio'r diwrnod hwnnw roedd Richard Lloyd wedi derbyn galwad ffôn, oddi wrth ysgrifenyddes Ysgol Dre, yn ei wahodd i'r ysgol i drafod ymddygiad Gwyn. Aeth yno'n syth. Ac yn sgil y drafodaeth honno daeth cyfnod Gwyn yn Ysgol Dre i ben. A Gwyn adre efo'i ewythr.

Ond fe sylwodd ambell un, ar ôl i Richard Lloyd fynd o'r ysgol, fod tei Dai Lewis yn gam. Ac iddo aros yn gam weddill y dydd.

A bod Prifathro Ysgol Dre y Medi canlynol yn ŵr o Surrey o'r enw Richard Holbrooke.

3
Protest

"Cam-ap!"

Rhoddodd Gwyn slap ar ben ôl y fuwch i'w hannog hi allan drwy ddrws y côr. Roedd hi'n fuwch hen, wedi dod â sawl llo, ac roedd ei chroen â'i wead o flew cras glas a gwyn yn bantiau rhwng blaenau esgyrn ei chefn a'i chlun. Roedd ei chymalau wedi stiffio, y greadures, a symud yn ymdrech iddi, ond roedd Gwyn ar frys. Roedd angen carthu a bwydo, golchi'r taclau godro, tagio caniau ddoe a mynd â nhw i lawr i'r stand laeth cyn i lori'r hufenfa gyrraedd am ddeg o'r gloch.

Ei fwriad wedyn, ar ôl cynhesu a molchi, oedd picio i'r Glyn i nôl y twrci at yfory ac yna ymlaen i Dre i gael anrheg i Anti Enid a rhywbeth i Richard Lloyd ac Owain. Roedd Dolig wastad yn brysur, ond roedd Gwyn yn ei fwynhau. Fe godon nhw'r trimins neithiwr – Anti Enid yn dweud lle'r oedd y celyn a'r cadwyni i fynd, a fo a Richard Lloyd yn gwneud ati i'w gosod nhw'n gam a phawb yn chwerthin. Roedden nhw'n dysgu carol hefyd, ar gyfer Plygain Llan ddydd Mercher, ac Anti Enid yn cymryd y top lein oherwydd bod Owain i ffwrdd tan heddiw yn y gwersyll *Cadets*. Roedd hi'n beth da, rhwng pob peth, bod gwyliau coleg Gwyn mor hir. Estynnodd y rhaw o'r ferfa a dechrau carthu.

Daeth iddi'n syth – crafu at ei gilydd, sleis odano, codi a throi y rhaw a... bang, gwagu i'r ferfa. Gwenodd wrth feddwl beth a ddywedai ambell un o ferched y neuadd breswyl petaen nhw yma – ac ambell un o'r bechgyn hefyd petai'n dod i hynny. Rhoddodd ei raw i'r naill ochr. Cododd y ferfa a rhoi hwb iddi i'w dechrau hi drwy'r drws fframgoch ac i'r domen. Ac o dan ei holwyn a'i esgidiau fe graciai a chrensiai'r rhew.

Rhedodd â'r ferfa ar hyd y styllen roedd wedi ei gosod i fyny'r domen, a defnyddio'i fomentwm i fynd â hi i'w phen draw ac i dowlu'r tail. Yna trodd, a cherdded â'r ferfa y tu ôl iddo, yn ôl ar hyd y styllen, ar draws y mwd rhewllyd ac i mewn unwaith eto i'r côr.

Clywodd sŵn car, dau gar, yn dod i'r buarth ac yna'n stopio y tu allan i'r côr. Rhoddodd y ferfa i lawr a mynd at un o'r ffenestri llychlyd i weld pwy oedd yno. Y peth cyntaf a welodd oedd yr arwydd *Police* ar do car panda glas golau. Yna'r ddau heddwas mewn lifrai y tu mewn iddo. Edrychodd ar y car arall, Ford Escort arall, ond un gwyn diarwydd y tro hwn. Roedd dau yn eu dillad eu hunain yn dringo ohono. *CID*, debyg.

Roedd Gwyn wedi hanner disgwyl hyn. Aeth yn ôl at ei raw, ei galon yn curo'n galed a gwres yn llifo i'w glustiau a rhannau brig ei wyneb. Dechreuodd garthu unwaith eto, a meddwl.

Am y distawrwydd, y cynnwrf cysglyd a'r miniogrwydd oer oedd i'w glywed wrth gerdded drwy gyntedd Adeilad y Celfyddydau y noson y meddiannon nhw'r lle. Am glec y gadwyn a'r clo clap wrth i'r rheiny ddisgyn i'w lle a chloi'r drysau rhag yr awdurdodau. Am ffeiliau gweinyddol y coleg y bu o a rhai o'r lleill yn eu cario mewn bagiau bin du drwy wyll lampau stryd Bangor

Uchaf a'u gosod mewn bŵt car i'w gludo oddi yno. Am yr wythnos heb gwsg.

Roedd y myfyrwyr wedi torri'r gyfraith, ond roedd yn rhywbeth roedd angen ei wneud. Roedd awdurdodau'r coleg yn bwriadu ehangu'r lle a'i symud ymhellach eto o fod yn goleg i ogledd Cymru. Coleg *yng* ngogledd Cymru, dyna i bob golwg oedd pen draw ymrwymiad yr awdurdodau i'r ardal, a doedd y ffaith eu bod yn cyflogi rhai o Gymraeg-gasawyr mwyaf gwenwynig Gwynedd ond yn cadarnhau atgasedd gelyniaethus eu bwriadau ym meddyliau'r myfyrwyr.

A'u brad.

Ond, i Gwyn, roedd mwy i'r peth na hynny. Ers y tro cyntaf iddo ddod i gyffyrddiad â'r byd y tu allan i Gwm Llawenog a'r Dyffryn roedd wedi gorfod cyfiawnhau ei fodolaeth, bod yn barod i amddiffyn ei hun a'r hyn y gwyddai ei fod yn dda rhag pobl anwybodus nad oedd i'w bywydau fawr ddim ond pres ac uchelgais, a gorchfygaeth Seisnig. Pan aeth i'r coleg, ei fwriad oedd cael fflat, ar ei ben ei hun, ac ymgolli yn ei astudiaethau. Ond fe'i rhoddwyd yn y Neuadd Gymraeg. Ac fe'i syfrdanwyd. Am y tro cyntaf erioed ymysg dieithriaid, fe'i cafodd ei hun yn dderbyniol.

Doedd o ddim yn *Wog*.

Dyma fyd a chymdeithas a oedd â lle iddo, a hynny oherwydd – nid er gwaethaf – ei Gymreictod; a phobl a oedd yn ei groesawu, ac yn croesawu ei gyfraniad yn hytrach na'i drin fel bygythiad i'w pethau 'gwell' nhw. Roedd Gwyn yn fodlon gwneud beth bynnag yr oedd ei angen i gadw a hyrwyddo byd a oedd yn rhoi hynny iddo.

"Gwyn Lloyd?" Llais dieithr.

Cododd Gwyn ei ben. Roedd un o'r heddweision mewn lifrai yn sefyll wrth ddrws buarth y côr.

"Ie?"

"Fe liciwn i gael gair efo chdi. Dwi'n meddwl dy fod ti'n gwybod am be."

"Ga' i orffen carthu?" Cyfeiriodd at ddrws y mynydd. "Ac mae gen i gatel allan. Mi fydd angen eu bwydo nhw."

"Gadwn ni mono chdi'n hir."

Rhoddodd Gwyn y rhaw i bwyso yn erbyn byrddau'r bing a dilyn yr heddwas i'r tŷ.

Roedd pawb yno yn y gegin, a'r heddwas arall mewn lifrai yn gwarchod y drws. Y tu ôl iddo wrth y sinc roedd Anti Enid, yn bryderus, ac ar goll; roedd yn amlwg bod y criw wedi gwrthod ei chynnig o baned. Eisteddai'r ddau yn eu gwisg eu hunain ar flaenau'r cadeiriau breichiau wrth y tân – un yn fawr ac ychydig yn araf yr olwg a'r llall yn fach efo mwstás bandito a llygaid gweld popeth.

Tynnodd Gwyn ei esgidiau a mynd i eistedd ar un o'r cadeiriau caled wrth y bwrdd mawr. Roedd hyn yn ei osod ar lefel ychydig yn uwch na'r ddau ar y cadeiriau breichiau ac yn syth bìn fe gododd 'llygaid' a sefyll o flaen y tân.

Dechreuodd y 'mawr' ddweud pam eu bod nhw yno. Soniodd am y meddiannu ac am y symud ffeiliau; roedd yn gallu deall bod y myfyrwyr am amharu ar weinyddiaeth y coleg fel rhan o'u protest, ond roedd cymryd y ffeiliau yn ddwyn ac felly roedd hi'n ddyletswydd ar yr heddlu i ymchwilio a mynd i wraidd y mater. Gofynnodd a oedd

Gwyn wedi bod yn rhan o'r brotest. Dywedodd Gwyn iddo fod. Oedd o wedi ymwneud o gwbl â'r ffeiliau? Dywedodd Gwyn iddo helpu i'w symud nhw.

Camodd 'llygaid' yn ei flaen.

"David Gwyn Lloyd, I arrest you in the name of the law on a charge of handling stolen goods. You have the right to remain silent, but anything you do say will be taken down and may be used in evidence against you."

Yna edrychodd ar Anti Enid a dweud yn dalog, "Fe hoffen ni edrych o gwmpas, rhag ofn bod yna ffeils neu *evidence* arall yma. Ydi hynny'n iawn?" Nodiodd Anti Enid. Aeth y 'mawr' a 'llygaid' â Gwyn i'w car a gyrru i ffwrdd. Arhosodd y ddau mewn lifrai i chwilio.

Pan ddaeth Richard Lloyd yn ôl o gario bwyd i'r defaid fe ddaeth i fuarth a oedd yn llanast o fêls gwair. Yna gwelodd Enid Lloyd yn nrws y certws yn ei slipars â'i llygaid yn llawn dagrau. Dringodd i lawr o'r tractor a mynd draw ati. Disgwyliodd hithau, â'i breichiau wedi eu lapio am ei gilydd, nes iddo ddod i mewn i'r certws ac o olwg y buarth. Yna taflodd ei hun i'w freichiau gan feichio crio. Daliodd Richard Lloyd hi'n dyner gan fwmial cysuron a'i phatio'n ysgafn ar ei chefn â'i ddwylo mawr manegog.

Pan ddaeth ati ei hun fe ofynnodd iddi, "Be sy'n mynd ymlaen, Enid?"

Roedd y ddau heddwas mewn lifrai wedi mynd drwy'r tŷ a chwilio ym mhob cwpwrdd a drôr. Wedi cael hyd i wn Richard Lloyd roedden nhw wedi holi am ei leisens, a doedd hi ddim yn gwybod lle'r oedd o. A phan gofiodd hithau rywbeth ynglŷn â bod angen warant i chwilio tai pobl, a gofyn a oedd ganddyn nhw un, fe'i hatebwyd hi'n swta na fyddai ond yn cymryd dau funud i gael un ac y gallasai hi fod yn sicr, pe bydden nhw'n cael warant mi fyddai eu chwilio nhw'n dipyn mwy trwyadl. Ar hynny fe lapiodd ei chôt amdani a mynd o'r tŷ. Roedd y ddau erbyn hyn yn chwilio'r tasau gwair.

"Ty'd i'r tŷ," meddai Richard Lloyd.

Gosododd ei wraig ar soffa'r gegin a gwneud paned iddi.

"Yfa di hwnna. Dwi am gael gair efo'r ddau 'na yn y sgubor." Estynnodd leisens ei wn ac aeth allan.

Ddeng munud yn ddiweddarach fe ddaeth y ddau heddwas allan o'r sgubor, dringo i'w car a mynd, heb dynnu'r tameidiau gwair o'u lifrai. Safai Richard Lloyd yn nrws y sgubor. Gwyliodd y car yn sgathru o'r buarth ac o'r golwg i lawr y cwm. Safai'n syth, a dwrn ar bob clun.

Pan ddaeth Owain, yn Landrover gwyrdd y *Cadets*, roedd Richard Lloyd yn ailgodi'r tasau. Aeth i lawr y buarth i ddiolch i'r gyrrwr am ei gymwynas ond heliodd Owain y Landrover i ffwrdd cyn iddo allu cyrraedd. Daeth y dyn ifanc ato'n berwi o gywilydd.

"Be ddiawl sy 'di digwydd fan hyn?"

"O," meddai Richard Lloyd yn hamddenol. "Problem fach efo'r Brawd Mawr."

Cymerodd Owain mai cyfeirio at Gwyn roedd o.

"Bladi hel!" Taflodd ei bethau i'r tŷ a dod i helpu ei ewythr.

*

Roedd hi gyda'r nos pan gafodd Gwyn ei ryddhau. Cerddodd ar hyd coridor llwm y swyddfa heddlu o'r gell heb sylwi ar ddim, ond bod y waliau o'i gwmpas yn las golau a bod eu gwaelodion a'r sgyrtin yn wead brith o strempiau budron. Pan welodd Richard Lloyd yn y cyntedd fe redodd rhuthr o fraw drwyddo. Llyncodd yn galed.

"Ty'd," meddai Richard Lloyd a cherdded o'i flaen drwy ddrysau'r orsaf ac i lawr y pafin tywyll i'r car. Dringodd iddo ac agor drws ochr Gwyn heb ddweud gair. Aeth Gwyn i'w le yn dawel luddedig ac edrych drwy ffenestr flaen y car. Gyrrodd y ddau o oleuadau Bangor, trwy Fethesda ac Eryri, ar hyd milltiroedd yr A5 a throi o'r diwedd am y dyffryn. Ar ben Rhos Pengwern fe dynnodd Richard Lloyd y car i ochr y ffordd. Diffoddodd yr injan a throi at Gwyn.

"Wyt ti'n iawn?"

"Yndw. Diolch."

"Wnaethon nhw weiddi arnat ti?"

"Do."

"A dy fwydo di efo omlet mor fras na fuasai hyd yn oed gafr yn gallu ei dreulio fo?" Roedd yna grychni gwên yng nghorneli llygaid Richard Lloyd.

"Sut gwyddoch chi hynny?"

Chwarddodd Richard Lloyd yn uchel. "Hidia di befo, 'machgen i. Rwyt ti mewn un darn, dyna sy'n bwysig." Cododd ei law a phatio Gwyn ar ei ysgwydd. Clywodd Gwyn y gynhaliaeth yn y cyffyrddiad, a theimlodd yn well.

Weddill y ffordd i fyny'r dyffryn a'r cwm bu Gwyn yn cysidro'n galed. Rhyfeddai at wybodaeth a dealltwriaeth yr hen ddyn, ac at mor ofalus roedd ohono fo. A chofiodd y ffordd ddiamynedd y bu iddo fo hel y fuwch las o'r côr y bore hwnnw. Wnâi o mo hynny eto.

Pan gyrhaeddon nhw Flaencwm roedd hi'n amlwg bod Owain yn dal yn flin a chafodd edrychiad dan aeliau gan Richard Lloyd. Cadwodd daw ar ei dafod drwy amser swper, ond wedi iddo fo a Gwyn ddringo i'r llofft i'w gwelyau fe drodd ar ei frawd.

"Be s'an' ti'r diawl dwl? Sbia'r gwaith wyt ti'n 'i neud i bawb. Mi 'dw i ac Yncl Richard 'di bod trw'r pnawn yn ailgodi'r tasau 'na ac yn rhoi popeth yn 'i ôl lle oedd o."

Roedd Gwyn yn eistedd ar ei wely, heb ymolchi eto na thynnu amdano. Edrychodd ar ei frawd. Synhwyrai bod yna fwy i'r araith hon na'i helynt o yn unig.

Aeth Owain yn ei flaen. "Oes rhaid ti neud cymaint o'r peth Cymraeg 'ma? Pam na fedri di jyst byw'n naturiol fath â phawb arall?"

Tynnodd Gwyn anadl ddofn. Gwyddai bellach nad oedd modd rhwystro'r hyn oedd i ddod.

"Yn naturiol?"

"Ie, fath â rhywun normal."

"Fath â chdi a dy ffrindiau yn y *Cadets*."

"Ie. Ma'n nhw'n fechgyn iawn. Yn dallt fel *ma* pethe. A be sy'n bwysicach – ddim yn embarasio rhywun fatha wyt ti, ar y teledu a phob man."

Edrychodd Gwyn arno'n ymholgar.

"Ie," meddai Owain. "Mi weles i chdi."

Roedd yn y gwersyll *Cadets* yn cymryd ei dro un gyda'r nos i smwddio'i wisg unffurf at barêd y bore wedyn. Roedd y teledu ymlaen gyferbyn ag o, a chriw o'r lleill yn ei wylio o'r cadeiriau esmwyth. Daeth ebychiad oddi wrth un o'r criw.

"*Silly buggers.*"

Cododd Owain ei olwg o'r bwrdd smwddio. Ar y sgrin roedd Adeilad y Celfyddydau Coleg Bangor, lle bu o a Richard Lloyd ac Anti Enid rhyw dri mis ynghynt yn hebrwng Gwyn i'w fywyd newydd fel myfyriwr. Bu'n ymweliad anghyfforddus iddyn nhw i gyd: Gwyn yn bryderus a nerfus, yn torri ei fol i gael chwilio'i fyd newydd, a'i embaras yn chwysu ohono; Anti Enid yn cuddio'r boen o'i golli drwy drydar a ffysio am bob dim ac unrhyw beth; Richard Lloyd yn ddistaw, fel mae dynion pan mae merched yn eu gofid yn hawlio pob munud a lle; a fo ei hun yn un dryswch o deimladau – o ddiddordeb ym myd newydd Gwyn, o genfigen bod ei frawd yn cael mentro i fyd newydd, o bryder am yr hyn a allai fod yn dod i ben.

Soniai cyflwynydd y newyddion am *student protest* ac *occupation*, am *college plans for expansion* ac *effects on the Welsh language*. Ac ar y sgrin, yn dringo i lawr ysgol o un o ffenestri'r adeilad, roedd Gwyn.

"*Look at 'em, bloody Welsh. Wasters.*"

"*That's enough from you, Padfield,*" chwyrnodd Owain. "*You only got through the assault course today because this Welshman pushed your arse over the high wall.*"

Roedd Padfield yn dwat. Y teip o foi a fyddai'n well ganddo faglu dros bwced na cherdded o'i chwmpas hi, ac yna disgwyl cydymdeimlad am iddo frifo. Dywedai rywbeth byth a hefyd i gynhyrfu'r dyfroedd a chael sylw. Roedd Owain yn diolch, serch hynny, mai y fo a oedd wedi codi ei lais. Mi fyddai wedi bod yn anodd cega ar ffrind. Trodd sylw'r rhaglen at chwaraeon, a dywedwyd dim mwy am y *Welsh*. Ond roedd Owain yn ddig at ei frawd.

*

Edrychodd Gwyn ar ei draed. Ochneidiodd.

"Rw't ti'n wirioneddol isio bod yn filwr, 'n dwyt," meddai a sbio i fyny.

"Yndw."

Daliai Gwyn i edrych ar ei frawd. Roedd mwy i ddod.

"Mi fedra i *fod* yn filwr. Mae o'n r'wbeth dwi'n gallu neud, a'i neud o'n dda."

Doedd Gwyn ddim yn llwyr dderbyn hynny fel rheswm; roedd Owain yn gallu gwneud pob math o bethau'n dda. Ac fe welodd Owain y cwestiwn ynddo.

"Ma'n rhaid i bawb neud 'i ffor' 'i hun yn y byd; mi wyt ti 'di cael mynd i'r coleg. Weithies i ddim yn ddigon caled – doedd gen i mo'r amynedd. Ac mae o'n dy siwtio di; dwi ddim yn meddwl y base fo'n 'yn siwtio i. Ond mi dwi isho cyfle hefyd. Ti'n 'nallt i?"

Ystyriodd Gwyn am rai eiliadau. "Yndw," meddai'n araf.

Roedd yn meddwl am y bachgen a falai frwyn wrth Nant y Ceirw.

"Yndw, dwi'n dallt..."

Edrychodd ar wyneb cryf, iach – a phoenus – ei frawd.

"... rwyt ti'n *mwynhau* bod yn filwr."

Aeth y gwynt o hwyliau Owain. Eisteddodd ar ei wely ac edrych ar ei ddwylo.

"Yndw. Dwi *isio*'i neud o," meddai'n ddistaw.

"Pryd wyt ti'n seinio mlaen?"

"Cyn gynted ag y galla i."

Aeth sylw Gwyn at y cwpwrdd silffoedd isel a safai rhwng gwelyau'r ddau. Yma roedd llyfrau eu hieuenctid – *Llyfr Mawr y Plant*, *Defi Dwdl Dŵ*, *Hwyl*, *Yr Hebog*, sawl blwyddyn o'r *Victor Annual*, rhesiad o *Purnell's History of the Second World War* a degau o gopïau o lyfrau swllt *Commando* a'r *War Picture Library*. Teimlai'n sâl.

Ond doedd Owain ddim wedi gorffen. "A dwi am neud job iawn ohoni hefyd. Ddim jyst mynd yn *squaddie*." Roedd am i Gwyn a Richard ac Enid Lloyd barchu'r hyn roedd yn ei wneud. Fe ddangosai iddyn nhw ei fod yn un o'r goreuon. Ac fe fyddai'r olwg ar wynebau gweddill y Cadets, ble bynnag y bydden nhw, yn amhrisiadwy pe caen wybod.

"Dwi'n mynd i fod yn un o'r rheina."

Pwyntiodd ei fys at lun, wedi ei binio i'r wal, y bu iddo ei dorri o un o'i gylchgronau flynyddoedd ynghynt. Llun rhesiad o *jeeps* yng ngogledd Affrica yn ystod yr Ail Ryfel Byd, pob un ohonyn nhw'n frith o wahanol ynnau peiriant a'r ddau ddyn ymhob un yn farfog ac yn gwisgo penwisg Arabaidd.

Roedd Gwyn yn deall arwyddocâd y llun yn iawn. A phe byddai unrhyw fachgen dwy ar bymtheg oed arall wedi dweud yr hyn roedd Owain newydd ei ddweud wrtho mi fyddai wedi ei gymeradwyo'n gwrtais ac, yn ddistaw bach, ei ystyried yn freuddwydiwr. Ond roedd Owain yn frawd iddo. Roedd Gwyn yn ei nabod ac yn gwybod hyd a lled ei allu. Ac roedd y boen yn ei fol fel pwysyn haearn.

Rhedodd law yn araf gysurol dros wallt cefn ei ben a nodiodd ei ddealltwriaeth i'w frawd.

Roedd y llun yn llun *patrol SAS.*

4
Joshua

Roedd yr *hit* wedi bod yn un da. Dyna ddywedodd y bòs wrth y wasg pan gyrhaeddon nhw'n ôl i Rhodesia. Ond roedd wedi bod yn fwy na da; roedd wedi bod yn rhyfeddol.

Ac yn bell iawn o'r clawdd tamp lle y gorweddai Owain heddiw yn Armagh.

Rhodesia oedd ei aseiniad cyntaf efo'r *SAS*. Roedd wedi ei anfon yno, yn answyddogol, i gynorthwyo efo'r rhyfel yn erbyn Robert Mugabe oedd yn ceisio cipio'r wlad – Zimbabwe iddo fo – a'i throi yn wladwriaeth Farcsaidd. Roedd ei fyddin – y *ZANLA* – yn gweithio allan o Mozambique. Ac roedd yr *hit* yr oedd Owain yn rhan ohono'r diwrnod hwnnw'n *hit* ar un o'i wersylloedd yn y wlad honno.

Meddyliodd am y daith i gyrraedd yno, am yr oriau o lwch a jerian yng nghefn y drydedd lori, am y tawelwch anniddig di-sgwrs, am y surni poeth yn ei fol. Roedd wedi bwyta – ychydig o gyfle a gaen nhw yn ystod gweddill y dydd – ond pan mae dyn yn codi am ddau y bore mae ei stumog fel bawaid o gynrhon a hyd yn oed uwd *bota* yn anodd ei lyncu.

Wrth agosáu at wersyll y *ZANLA* fe ddechreuodd y cynrhon godi i'w lwnc. Edrychodd ar ei oriawr. Ychydig cyn wyth. Mi fydden nhw yn y gwersyll ymhen pum munud. Siawns na fyddai'r adrenalin yn cymryd drosodd cyn iddo dowlu i fyny.

Wyth o'r gloch. Cyrion y gwersyll. Y gwarchodwyr yn codi eu dwylo'n gyfeillgar ar y ceir arfog a'r lorïau'n gyrru heibio'u gwardfeydd pridd â'u tanau brecwast. Ychydig funudau'n ddiweddarach roedd y confoi'n gyrru i'r sgwâr gynnull. Dechreuodd torf o dduon hel o'i gwmpas o'r cytiau ar ymylon y sgwâr a rhedeg gydag ochr y cerbydau'n cyfarch ac yn codi llaw. Y tu hwnt i'r dorf roedd yna ragor ohonyn nhw'n dod, i weld a chroesawu'r newydd-ddyfodiaid. Criwiau, deuoedd a thrioedd, unigolion. Cannoedd ohonyn nhw.

Yn sydyn daeth bloedd, a phwyntio a gweiddi. Dechreuodd y dorf gilio, ac un neu ddau i redeg yn bwrpasol at y cytiau, lle'r oedd eu gynnau. Roedd rhywun wedi sylwi bod rhai o'r wynebau y tu ôl i lenni'r lorïau yn wynion. Ond roedd y confoi wedi cyrraedd canol y sgwâr, ac wedi dod i stop. Safai'n dawel am eiliad. Yna trodd tyredau'r cerbydau arfog i gyfeiriad y dorf a gollyngwyd ochrau cynfas y lorïau.

"Fire!"

Ar ôl hergwd a braw cyntaf tanio gwn otomatig, dydi dyn – ac yntau'n un chwydd o adrenalin – prin yn clywed y gic na'r glec na'r gwres na'r oglau. A phrin yn sylwi ar y trin. Na'r twrw. Dim, ond y llwytho a'r ail-lwytho. A'r canolbwyntio. A'r chwilio am darged: cefn crwn byw neu fynwes, unrhyw un efo gwn.

A thanio nes i hwnnw ddisgyn, neu ddianc o'r golwg. A gwneud yr un peth eto. Ac eto.

Yna rhedeg. A chwilio a thanio. A galw am fwy o getris. A llwytho a symud ymlaen.

A chwilio. A thanio.

Ac yna mae o drosodd.

Y corff yn dal i bwmpio ond dim byd ar ôl i'w saethu. Rhedeg, galw, chwilio. Edrych eto. Craffu ar y cyrff – oes yna un yn ffugio bod yn farw, ar fin tanio pistol neu daflu bom?

Ac yna llais y *Sergeant*, yn canmol, yn tawelu, yn rhoi gorchmynion i bylu'r min lladdgar. Yn gosod rhai i wylio, a rhai i wneud paned. A gadael unrhyw *terrorists* – ym mherthi'r *veldt* ac yn dal i redeg – i'r awyrennau.

*

Y noson honno, yn ôl yn Rhodesia, oedd y noson y bu i Owain gyfarfod â Joshua. Roedd hi'n hwyr a bwyd y barbeciw wedi ei orffen. Ond roedd y tanau'n dal i losgi a dyrneidiau o ddynion ifanc yn dal i eistedd o'u cwmpas yn eu siorts a'u crysau gwyrdd â'r llewys wedi'u torchi. Chwaraeai goleuni crynedig y mân fflamau a gweddillion coch y pren tanwydd dros eu cyrff. Amlygai cochni lliw haul a sglein du eu hwynebau, eu breichiau, eu coesau, a'r tu ôl iddyn nhw sgerbydau'r coed *msasa* a'r perthi crin. Roedden nhw'n siarad, gweiddi, chwerthin, yn dweud dim o bwys ond yn ei ddweud beth bynnag, er mwyn i'r achlysur, i rym eu cyd-brofiad a'u gollyngdod o'i oroesi, fyw ychydig yn hirach. Roedden nhw'n dal ar adenydd eu hadrenalin.

Ychydig y tu allan i gylch goleuni'r tanau roedd yna ddyn bach yn eistedd o dan goeden *msasa*, un o'r *boys*, yn aros i bawb orffen er mwyn gallu clirio. Ond roedd ar ei ben ei hun; roedd yn amlwg nad oedd y *boys* eraill am iddo eistedd efo nhw.

Tapiodd Owain ysgwydd y milwr ifanc yn ei ymyl a chyfeirio â'i lygaid at y dyn bach.

"Different tribe?"

Edrychodd y *troopie* i gyfeiriad y *boy*, yna tursio ei wefusau a simsanu ei ben cystal â dweud, "Ie, a na." Holodd Owain beth oedd, felly.

"Amasili," meddai'r *troopie*. A phan welodd nad oedd Owain yn deall fe ychwanegodd, *"Bushman."*

Diolchodd Owain iddo a thynnu ei dun baco o'i boced. Estynnodd bapur ohono a dechrau rholio sigarét – un drwchus, galed. Taniodd hi, ac wedi tynnu a dal a gollwng y mwg cyntaf fe gododd ac aeth draw at y dyn bach. Eisteddodd yn ei ymyl a phwyso'i gefn yn erbyn y goeden. Synhwyrai dyndra'r llall – tyndra un yn disgwyl tric annifyr, neu bod yn wrthrych gorchest fychanol i rai a gymerai bleser mewn dilorni. Cynigiodd Owain ei sigarét iddo. Edrychodd y dyn bach ar y milwr dieithr yn ofalus, yn chwilio'i lygaid am frad.

Yna cododd ei ên ac estyn am y sigarét. Nodiodd ddiolch a gosod y sigarét rhwng bys yr uwd a bys hir ei law dde. Caeodd y llaw i ffurfio dwrn llac ac yna, gan osod ei law chwith dros agoriad pen bys bach y dwrn, rhoddodd y pen agosaf i'w geg a sugno. Sugnodd yn hir ac yn ddwfn nes bod blaen y sigarét yn ffagl orengoch loyw, hanner modfedd o hyd. Cynigiodd y sigarét yn ôl i Owain a'i derbyniodd hi a chymryd plwc ei hun.

Yna cynigiodd ei law i'r dyn bach a chyflwyno'i hun. Ysgydwodd y dyn law Owain ac ateb,

"I am Joshua."

A dechreuodd y ddau sgwrsio. Am o ble roedden

nhw'n dod. A'r hyn a wydden nhw am lefydd ei gilydd ac am bobl roedden nhw'n eu nabod. Am ddigwyddiadau arwyddocaol, difyr a digri. Am yr hyn oedd ac a oedd wedi bod. Ac fel crychau llwch a thywod yn y gwynt fe aeth y sgwrs, yn chwythiad o ronynnau ar y tro, i gyfeiriad y cwestiwn roedd y ddau ohonyn nhw'n gwybod roedd Owain am ei ofyn. A phan ddaeth hi'n bryd iddo ofyn y cwestiwn, roedd Joshua'n barod i'w ateb.

Ac atebodd fel hyn:

— Rydym ni, y bobl fach, yn byw yn y *veldt* er pan oedd yr haul a'r lleuad yn ddynion yn byw ar y ddaear. Rydym ni'n rhan ohono, o'r rhoi a'r derbyn, y tyfu a'r edwino, y codi o'r pridd a'r dychwelyd i'r pridd sydd wedi bod yma ers y dechrau ac a fydd hyd y diwedd.

Pan ddaeth y bobl fawr, y duon a'r gwynion, roedd eu traed yn y *veldt* ond roedd eu pennau yn y cymylau. Roedd y *veldt* yn rhywbeth iddyn nhw ei orchfygu a gosod eu nod arno. Doedden nhw ddim yn deall bod y gwynt yn chwalu pob un ôl troed. A doedden nhw ddim yn deall mai rhywbeth i'w barchu a'i rannu ydi'r *veldt*.

Ac eto maen nhw'n gwybod, yn eu calonnau, bod yr hyn y maen nhw'n ei wneud yn ddrwg. Ac mae ein presenoldeb ni, y bobl fach, yn eu hatgoffa nhw o hynny.

Dyna pam eu bod nhw'n ein casáu ni.

— Ydi o ddim yn anodd, meddai Owain, i chi weld pobl eraill yn hawlio ac yn rhyfela dros eich tiroedd chi?

— Mae o'n annifyr iawn, daeth yr ateb, gweld pobl yn hawlio heb barch na diolch o unrhyw fath, ac yn rhyfela am resymau mor hunanol. Ond dydi'r *veldt* ddim yn perthyn i ni. Y ni sy'n perthyn i'r *veldt*.

Gwasgodd Owain ei wefusau'n dynn at ei gilydd. Ar ôl rhai eiliadau, gofynnodd:

— Heb dir i fyw arno, dan drefn lle mae'r bobl sydd â'r grym i gyd yn eich casáu chi, sut fyddwch chi'n goroesi?"

Gwenodd Joshua, ac ateb:

— Drwy fod yma.

Ddywedodd Owain yr un gair. Roedd digon wedi ei ddweud eisoes a hwnnw'n crafu ei gydwybod fel rhathell ar figyrnau dwrn. Cododd ar ei draed. Ond cyn mynd, estynnodd ei law i Joshua ei hysgwyd a diolchodd yn gwrtais i'r dyn bach.

Yna, roedd wedi cerdded i ffwrdd, yn corddi.

*

Yn y cae yn Armagh roedd y wawr yn hel y nos i gysgodion, yn troi'r awyr ddu yn gymylau llwydion ac yn datgelu golygfa o gaeau a gwrychoedd di-nod. Edrychodd Owain i lawr y ffordd dawel. Fyddai'r lori laeth ddim yn hir rŵan. Aeth car heibio – rhywun ar ei ffordd i'w waith yn gynnar. Gobeithio na fyddai'r un o'r rheiny o gwmpas pan gyrhaeddai'r *Provos*. Cymerodd swig o'i botel ddŵr a thaflu golwg at y man lle y gorweddai tri arall y tîm. Dim ond rhywun a oedd yn gwybod eu bod nhw yno fyddai'n dod o hyd iddyn nhw. Neu gi. Gobeithio i'r nefoedd na fyddai ffarmwr yn anfon ci i'r cae.

Taw rŵan, meddai Owain wrth ei feddyliau a'i fol, dyna hi'r lori laeth.

Dringai'r lori'r allt yn swnllyd mewn gêr isel a chyn hir roedd yn ddigon agos i Owain glywed y tsieiniau ar hyd ochrau'r dec yn taro'r caniau ac iddo weld y gyrrwr. Y creadur. Ond roedd o'n deall y gêm, roedd yn aelod o Gatrawd Amddiffyn Ulster – yr *UDR* – ac, os oedd pethau'n mynd yn flêr, roedd ganddo bistol Browning ym mhoced ei gôt.

Gyrrodd y lori heibio a thynnu i mewn wrth y stand laeth flociau concrit. Agorodd y gyrrwr ei ddrws a swingio o'r cab i'r dec. Camodd rhwng y caniau a datod y tsiaen ar ochr stand laeth y lori. Gwenodd Owain wrth ei weld yn taflu golwg sydyn i lawr y ffordd. Ie, meddyliodd, mae hyd yn oed dyn dewr isio gweld beth sy'n dod.

Ar hynny daeth Cortina llwyd i lawr y ffordd a heibio i'r lori. Teimlodd Owain ei hun yn tynhau. Roedd tri dyn yn y Cortina, dau yn y blaen ac un yn y cefn. Ar eu ffordd i'r gwaith efallai, ond roedd Owain yn synhwyro nad hynny oedd. Trodd yr un yn y cefn i edrych ar yrrwr y lori'n symud y caniau o gwmpas y dec. Dywedodd rywbeth ac aeth y Cortina heibio, i lawr yr allt ac o'r golwg. Clywodd Owain o'n stopio, yn bacio i droi ac yn dechrau'n ôl i fyny'r allt. Ysgydwodd Owain ei hun a pharatoi ei wn. Roedd y lleill yn paratoi hefyd.

Roedd y Cortina'n codi sbîd. Daeth i'r golwg. Roedd y dyn yn y sedd gefn yn pwyso allan drwy ei ffenest. Roedd ganddo wn Thompson. Daeth y car yn gyflymach o hyd tuag at y lori ac roedd dyn y gwn yn cael trafferth dal ei hun yn syth. Roedd y Cortina hanner can llath i ffwrdd. Roedd dyn y gwn heb danio eto. Profiadol, meddyliodd Owain.

"Fire!"

O'u pedwar cuddfan fe daniodd Owain a'r tîm at y car. Roedd yn ddigon agos i Owain weld syndod y tri a oedd ynddo, hyd yn oed o dan eu mygydau. Neidiodd y car yn ei flaen; roedd y gyrrwr, yn hwrdd ei fraw, wedi sathru sbardun y Cortina'n fflat i'r llawr. A daliodd Owain a'r tîm i saethu. Ymddangosai rhosynnau tyllau bwled ar hyd corff y car. Chwalodd ei ffenestri'n un ffrwydrad gwyn a thasgu i'r awyr yn gymysg â sbacliadau gwaed, a disgyn yn strimyn o genllysg arian ar hyd wyneb y ffordd. Hyrddiodd y car i'r clawdd ac i fyny drwy'r gwrych a chodi i'r awyr ar y brigau na falwyd gan nerth ei ruthr a'i bwysau. A thrwy hyn i gyd roedd Owain a'r tîm yn dal i danio.

Daeth y gorchymyn i atal y saethu. Llwythodd Owain ail felt o getris i'w wn. Cododd o'i guddfan efo'r *Sergeant* a cherdded yn wyliadwrus, â'i wn yn barod, draw at y Cortina.

Gorweddai'r car ar ganol y gwrych â'i drwyn i lawr yn y cae. Nesaodd Owain a'r *Sergeant* ato'n ofalus. Bum munud yn ôl roedd wedi bod yn gar parchus, gweddol newydd, a glân. Bellach roedd golwg bod mewn ras falu ceir arno. Edrychodd Owain ar hyd baril ei wn i mewn i'r car.

Plyciai gwaed o hyd o'r tyllau bwled yn y cyrff; ond prin y gellid eu galw'n gyrff. Roedd y sypiau cig yng nghragen y Cortina'n atgoffa Owain o'r gweddillion a welodd rywdro yng nghwt trin carcas Parri'r bwtsiar. Gadawodd nhw. Gwaith rhywun arall oedd clirio.

Galwodd y *Sergeant* ar y dyn radio i ffonio'r barics, iddyn nhw anfon yr heddlu ac uned warchod, a Landrover i nôl y tîm.

"*Good hit*," meddai wrth Owain cyn cerdded draw at yrrwr y lori i weld a oedd hwnnw'n iawn.

Ie, meddyliodd Owain, gan sgwario ei hun. Canmol dy fro a thrig yno.

5
Rhywbeth newydd dan haul

Symudodd Gwyn ar hyd y corlannau. Roedd hi'n fore, a'r haul heb eto dynnu'r ias o awyr y sièd werthu. Trodd wysg ei ochr i fynd rhwng rhes o gorlannau ac ochr lori gatel. Crynai honno yn nwndwr traed yr ŵyn a gowcsiwyd ohoni a thrawai 'hwp' a 'hys' a 'ha' y cowcsio yn galed ar ei glust o'r trawstiau dur a'r waliau concrit. A'r tu ôl iddo clywai wellt glân yn shwshian dan draed y rhai anniddig a gorlannwyd eisoes.

Edrych lle rhoeson nhw ei ŵyn roedd Gwyn; i wneud yn siŵr nad oedden nhw wedi eu cymysgu â rhai neb arall. Er mor bwysig o brysur oedd y rhai a wnâi'r corlannu, roedden nhw'n methu weithiau, ac nid bob amser yn ddamweiniol.

Ond roedd Gwyn wedi dod i'r sêl â mwy na gwerthu ŵyn ar ei feddwl. Roedd y refferendwm fis Mawrth nesaf, y refferendwm ar Ddatganoli, ac roedd ganddo lond poced o daflenni'r ymgyrch 'Ie' i'w dosbarthu. Pwysodd hic gwaelod ei ben ôl yn erbyn bar uchaf un o'r corlannau a gwylio'r ffermwyr eraill yn sgwrsio yn eu deuoedd a'u trioedd, rhai'n cyfnewid newyddion ac yn rhannu gofidiau, rhai'n trafod pen neu'n modi cefn ambell oen. Roedd yn rhy fuan yn y dydd i ryw lawer o ysgafnder; roedd y sêl heb ddechrau eto a neb yn gwybod sut hwyl, os hwyl, a gâi ar y gwerthu.

Doedd Gwyn ddim yn hollol argyhoeddedig ynglŷn â'r hyn a oedd i'w gael o ennill y refferendwm – 'eli ar friw diberfeddiad' oedd yr ymadrodd a ddôi i'w feddwl yntau – ond mi fyddai hyd yn oed briwsion grym yn gam i'r cyfeiriad cywir ac roedd wedi penderfynu gweithio i'w cael nhw. Ond roedd angen mwy.

Llawer mwy.

Aeth ei feddwl at y daith rygbi ddechrau'r flwyddyn: mynd yn hen griw coleg i weld gêm Cymru yn erbyn Iwerddon ym Mhencampwriaeth y Pum Gwlad ac, ar ôl y gêm, cael eu hunain yn un o fariau brown Dulyn. Roedd pawb wedi eistedd ble bynnag roedd yna le, ymysg y Gwyddelod, ac er nad allen nhw weld ei gilydd oherwydd y sburiau pren â'r topiau gwydr patrymog a safai rhwng pob cilfach, roedd yna wefr amser da yno. Unwaith y byddai un neu'r llall o'r Cymry yn taro nodyn cân mi fyddai'r lleill yn ymuno ac roedd y canu'n llawen ac yn ddi-orthrwm. Ac fe wenodd y Gwyddelod, a mwynhau hwyl y pethau ifanc, dieithr, bywiog 'ma.

Yn y cyfnodau tawel fe drodd pawb i siarad â'u cymdogion ac yn y gilfach lle'r oedd Gwyn a'i gwmni roedd yna ŵr canol oed, gwallt brith a llygaid deallus. Roedd yn gwisgo côt law ysgafn lwyd fel petai ar fin ymadael; ond roedd wedi bod yno ers cyn i Gwyn a'r Cymry gyrraedd a doedd dim awgrym o fynd oddi yno yn ei osgo na'i sgwrs. Ac fe aeth honno, fel y bydd yn aml rhwng Cymry Cymraeg a Gwyddelod, ar drywydd cyflwr a dyfodol y Wyddeleg a'r Gymraeg, i gymharu sefyllfa wleidyddol Cymru o dan Brydain ag un Iwerddon, a thrafod teimladau'r ddwy bobl ynglŷn â'r drefn Seisnig-

Brydeinig. Holodd Gwyddel y gôt law ynglŷn â Datganoli a pha mor debyg oedd y peth o ddigwydd – a chael yn ateb y cymysgedd hwnnw o frwdfrydedd ac anobaith sydd mor nodweddiadol o genedlaetholwyr Cymreig yn eu cwrw.

Gwrandawodd y Gwyddel yn ddistaw am rai munudau ac yna, *"Listen, boys,"* meddai, *"this is what you need..."*

Edrychodd y Cymry ar ei gilydd a'u llygaid yn fawr ac yn grwn. Ac yna'n ôl at y bwrdd.

Rhwng y gwydrau, y cylchoedd gwlyb a'r matiau Guinness, roedd y Gwyddel wedi gosod rifolfer.

*

Gwenodd Gwyn wrth feddwl am y prynhawn rhyfedd hwnnw. Ond ei amcan heddiw oedd siarad ac, os gallai, ennill cefnogaeth un neu ddau dylanwadol. Chwiliai am wynebau cyfarwydd.

Gwelodd Armon Morris, Cadeirydd Cymdeithas y Defaid Mynydd, yn pwyso dros giât un o'r corlannau'n chwilio nodau clust set o ŵyn benyw. Lle da i ddechrau. Aeth i ymyl y gŵr hŷn a'i gyfarch yn barchus dawel.

"Sut ma'i heddiw, Mr Morris?"

Edrychodd hwnnw i fyny o'r ŵyn.

"Gwyn! Sut wyt ti?"

"O, yn dal i fynd, wyddoch chi. Sut ma'n nhw efo chi?"

Gwenodd Armon Morris. "Yn llawn o'u pethau." Ysgydwodd ei ben a'i wên yn lledu. "Y bechgyn 'cw'n meddwl eu bod nhw'n gallu rhedeg y ffarm heb eu tad, a Jean 'di penderfynu ei bod hi isio mynd am wylie dros dŵr y flwyddyn nesa."

"Dros dŵr? 'Wannwyl. Tipyn o gam iddi."

"Ie, 'nte." Roedd y llygaid yn ddireidus awgrymog. "Mae o'n bwysig cadw i fyny, w'est."

Gwenodd Gwyn. Mi wyddai at bwy roedd o'n cyfeirio. Bu ffrindiau Jean Morris yn mynd ar wyliau dramor ers sawl blwyddyn bellach, a phob tro'n brolio'u profiadau ar ôl dod adre.

"Lle'r owch chi?"

"Maiorca ne' rwle felly ddudodd hi. Mond gobeithio dwi fod y gwesty ar ei draed erbyn i ni gyrraedd yno."

"Bydd hynny wedi ei ddatrys erbyn hyn, mae'n siŵr."

"Bydd, siŵr o fod." Pwysodd Armon Morris yn ei flaen a chau hynny o fwlch a oedd o hyd rhwng y ddau ohonyn nhw. Gostyngodd ei lais.

"Sut mae Richard Lloyd?"

"Iawn. Yndi, yn iawn. Diolch. O gwmpas ei bethe. Ond yn colli Anti Enid yn arw."

"Ie. Diawl o beth. Mae 'na ormod o'r hen gansar 'na o gwmpas y dyddie 'ma, 'n does. Wyt ti'n meddwl bod ganddo rywbeth i'w neud efo'r niwclear 'na'n Nhrawsfynydd?"

"Wel, os oes, dy'n nhw'm yn mynd i ddeud 'thon ni. Ond mae'r ffaith eu bod nhw 'di'w roid o lle ma'n nhw, a'r llall 'na'n Sir Fôn – a 'run ynghanol Llundain neu Firmingham – yn deud lot 'n tydi."

"Yndi. Ma'n siŵr bo ti'n iawn. Ond be nei di, 'nde?"

"Wel, dech chi'n gwbod be 'di'n ateb i, 'n dydech chi?"

Chwarddodd Armon Morris yn dawel.

"Ond mae o'n wir, 'n dydi. Tasen *ni*'n cael deud fel oedd hi i fod yma, 'sen ni'm yn gor'od poeni am bethe fel 'na, na f'sen."

Gwyliai Armon Morris Gwyn yn ofalus. Fe wyddai'n iawn beth oedd ganddo. Aeth Gwyn yn ei flaen.

"Does 'na'r un wlad erioed wedi rhedeg gwlad arall yn dda."

Daeth Gwyn yn ymwybodol o bresenoldeb trydydd un yng nghylch eu sgwrs, un a safai'n ymwthiol o agos. Trodd gydag Armon Morris i edrych arno. Roedd yno siaced ddu, côt wau werdd, a chrys rhad glas streipiau coch tenau, coler lydan. Codai gwddf twrci o honno. Ac o fôn a llabedi'r clustiau mawr llac a grogai uwchben, brigai clympiau o flew cydnerth. Roedd y wyneb yn un hir a main, a blew brith glaswellt-mewn-gwynt y bochau cafn a'r ên yn amlwg heb eu siafio ers y Sul. Ac o dan pig seimllyd y cap stabal fe lechai pâr o lygaid tywyll sbeitlyd.

Roedd Gwyn yn ei led-nabod o: tenant Cyrn y Bwch, Selattyn, un o ffermydd stad Brogyntyn.

"Oes gen ti *leaflet*?"

"Taflen 'Ie dros Gymru' 'dech chi'n feddwl?"

"Ie."

Estynnodd Gwyn i'w boced. Beth oedd gan hwn ar ei feddwl? Roedd bloesgni yn y wyneb tenau, a'r llaw a gipiodd y daflen yn debyg i grafanc cranc.

Camodd y cipiwr yn ei ôl oddi wrth Gwyn ac Armon Morris i edrych ar y daflen. Ond ddarllenodd mohoni. Yn hytrach, fe'i daliodd o'i flaen a'i hystumio i'r chwith ac i'r dde, a'i wyneb yn yr un modd – fel wyneb cloc tegan

– ei lygaid fel soseri a'i geg fel ceg clown wynepwyn. Parhaodd â'i berfformiad coeg-simpil am rai eiliadau. Ac yna newidiodd ei wedd. Culhaodd y llygaid, ac ystumiwyd y rhychau cras yn rhychau casineb.

Gwasgodd y daflen yn lwmpyn crwn a throi ei gefn at Gwyn gan blygu ymlaen ar yr un pryd. Cyflwynodd y daflen i fforch gefn ei drowsus. Ac yna, yn bwyllog orfoleddus, fe'i llusgodd hi i fyny hollt ei din.

A chyda chwifiad buddugoliaethus fe'i taflodd hi i'r llawr, â'i lygaid ar Gwyn cystal â dweud, "Be wyt ti'n feddwl o hynny 'te?" Roedd Armon Morris yn gegrwth.

Ond roedd Gwyn yn ddig. "Rhag dy g'wilydd," chwyrnodd. "Y diawl budur."

"Na, cer *di* i'r diawl, y *Welsh Nash*," meddai'r llall. "Dwi gystal Cymro â chdi bob tamed, a dwi na neb call arall isio dim o dy blydi *devolution*."

"Cystal Cymro â mi, wyt ti? Rhaid nad ydi o'm yn amlwg iawn neu 'set ti'm yn gorfod deud wrth bawb."

Erbyn hyn roedd wynebau'r ddau fodfeddi oddi wrth ei gilydd a thorf wedi dechrau hel o'u cwmpas. Cododd cranc Brogyntyn ddwrn a'i bwnio i gyfeiriad gên Gwyn. Rhwystrodd Gwyn yr ergyd â'i fraich chwith a pharatoi ergyd ei hun â'i dde.

Tynnwyd ei ddwrn yn ôl ac ynghanol 'woow' a 'hei hei' a "na ddigon 'ŵan' gafaelodd breichiau cryfion ynddo a'i symud o gyrraedd y llall. Gafaelodd rhywrai eraill yn hwnnw a gwahanwyd y ddau. Roedd Gwyn yn dal i fod yng ngafael y breichiau cryfion pan ddaeth Armon Morris i'w olwg.

"Wyt ti'n iawn 'ŵan? 'Di callio rhywfaint?"

Nodiodd Gwyn, ac fe laciodd y gafael arno.

"Gair i gall: mi 'se'n syniad da, fel ma pethe, i ti fynd o 'ma. Mae 'na lot o'i ochor o yma a dim llawer o d'ochor di." Edrychodd Gwyn o'i gwmpas. Roedd ei gynnwrf yn dofi erbyn hyn ac o'r wynebau a welai roedd yn amlwg fod Armon Morris yn iawn. Pe byddai un o'r rhain yn cwyno i'r ocsiwnïer byddai perygl i Gwyn gael ei anfon oddi yno heb gael gwerthu.

"Ty'd," meddai Armon Morris. Gafaelodd ym mraich Gwyn a'i dywys at ddrws y sièd. "Cer di am dro. Mi edrycha i ar ôl dy ŵyn di."

Ddiwedd y prynhawn, wedi iddo nôl ei bres o swyddfa'r arwerthwr – a gadael swp o daflenni efo Mairwenna'r clerc – roedd Gwyn ar ei ffordd adref yn y car. Roedd Armon Morris wedi gwneud yn siŵr na châi gam ac roedd y pris a gafodd am ei ŵyn yn un da.

Ond roedd y cranc o Frogyntyn yn dal i gylchu ei feddyliau. A'i ddyrnau'n dal i fygwth.

Y lowt.

A'r drefn wedi bod *mor* dda wrtho, yn ei gadw yn y fath 'foethusrwydd' diurddas.

Sychu ei din yn gyhoeddus!

Mi fyddai'r peth yn chwerthinllyd dan amgylchiadau gwahanol.

Ond doedden nhw ddim yn wahanol. Doedd dim modd osgoi fel yr oedd pethau. Y cyfryngau a'r papurau newydd, y 'Dail y Post' a'i debyg, yn arwain pobl i feddwl y byddai Datganoli'n golygu gorfod cael pasbort i fynd i Loegr. Ac y byddai gwaharddiad ar i gleifion o Gymru gael eu trin yn ysbytai Gobowen a'r 'Mwythig a Clatterbridge. A'r cwbl yn arwain at anhrefn Balcanaidd. Pwy fyddai isio hynny yn lle rheolaeth gref, gyfarwydd, ac ie, gogoneddus y wladwriaeth Brydeinig?

Allai Gwyn ddim chwerthin o weld pobl yn cael eu ffrwyno gan fwganod.

Ond *roedd* yna lwybr arall. Llwybr y gallai ei gerdded heb orfod derbyn ffon ar draws ei ysgwyddau. Llwybr y gallai fod yn falch o'i gymryd. Fel dyn ac fel Cymro.

Meddyliodd unwaith eto am y bar yn Nulyn...

Ac yno roedd ei feddyliau pan gyrhaeddodd fuarth Blaencwm.

Wrth iddo ddringo o'r car daeth Richard Lloyd o'r côr, wedi gorffen y bwydo nos.

"Cest ti ddwrnod da?" gofynnodd yn serchog.

Ystyriodd Gwyn am eiliad a chyfeirio ei feddwl at bris yr ŵyn.

"Do," meddai, heb ymhelaethu. A synhwyrodd Richard Lloyd anniddigrwydd y dyn ifanc.

"Beth ddigwyddodd?"

Y tu ôl i Gwyn roedd yr haul yn machlud ac wrth iddo ddweud yr hanes fe ddechreuodd y cysgodion ymledu o'u ciliau, a chynyddu. Fe ddaethon nhw'n raddol ond yn hyderus, yn sicr o'u buddugoliaeth, a sylwodd Richard Lloyd fel yr oedden nhw'n araf ddwysáu, yn ymlapio o gwmpas ffurfiau ymyl amlwg y dydd ac yn eu pylu'n llwch llwydni. Gwyliodd eu tywyllwch yn dringo mynwes Gwyn at, ac am ei wddf a thros ei wyneb, ac i'w lygaid. A theimlodd drosto.

Roedd Richard Lloyd yn wynebu'r haul ac roedd afiaith cefn golau dydd yn loyw yn ei lygaid o hyd. Gafaelodd yn ysgwyddau Gwyn ac edrych i wyneb cysgodlon y dyn ifanc.

"Tro rownd," meddai. Ac yna, wedi i Gwyn droi, "Weli di?"

Welai Gwyn ddim ond gweddillion machlud.

Camodd Richard Lloyd at ymyl y dyn ifanc a sylwi ar y mân rychau-ceisio-deall yng nghorneli ei geg a'i lygaid, a dywedodd,

"Ar ddiwedd pob dydd mae'r haul yn ein gadael ni. A phan mae o'n gadael, mae pethau'r nos yn cymryd eu cyfle, i sgathru a hela a dwyn. Ac mae hynny'n beth digalon."

Yna gafaelodd ym mraich Gwyn.

"Ond nid dim ond machlud sy 'na'n fan'cw, naci?" Rhoddodd wasgiad fach i fraich Gwyn, a gofyn, "Be weli di'r ochr yma iddo?"

Ym mhen ucha'r cwm, yn ymestyn o un ochr iddo i'r llall, roedd amlinell Bwlch Maengwynedd. Crymai o flaen dyfnder dulas y nos fel wal argae. Ac ar bob ochr iddo, fel tyrau cynnal, safai anferthedd Cader Berwyn a Chader Bronwen.

"Faint o ddydd a nos wyt ti'n meddwl mae'r rheina wedi'u gweld?"

Clebrai meddyliau Gwyn yn ddryslyd o gwmpas cwestiwn yr hen ddyn.

Yna gwelodd. Fel y safai'r mynyddoedd yn erbyn y tywyllwch. Roedd mor amlwg.

Aeth Richard Lloyd yn ei flaen. "'Den ni'r Cymry 'di bod yma ers cyn hanes. 'Den ni'n dallt y mynyddoedd. A ma'n nhw'n 'n dallt ni."

Roedd yr haul wedi mynd, ei olion tawdd olaf wedi

diferu'n llywaeth i gostrel rhyw feistr arall, rhywle y tu hwnt i'r gorwel. Ond roedd y Bwlch a'r mynyddoedd yno o hyd, yn dawel ac yn gadarn. Yn gwrthsefyll dyfroedd afluniaidd y nos.

"Sut wyt ti'n meddwl 'n bod ni 'di para cyhyd?"

Clywodd Gwyn bwysau'r eingion a fu ar ei war drwy'r dydd yn troi'n anwedd, ac yna'n ddim. Trodd at Richard Lloyd.

"Diolch," meddai'n ddistaw.

Tynnodd Richard Lloyd ei law oddi ar fraich Gwyn a'i gosod am eiliad gynhaliol, dringar ar ei gefn.

"Ty'd," meddai. Ac aeth y ddau gyda'i gilydd o'r buarth, i'w swper.

6
Negesau

Roedd yr ystafell yn sydyn yn oer. Ac yn fawr. A'r mapiau a'r cyhoeddiadau ar y waliau'n bell i ffwrdd ac yn aneglur. Roedd y ddesg o'u blaenau'n sgwâr ac yn galed ac yn foel, y llyfr nodiadau a'r beiro a orweddai arni'n elynion budr didrugaredd. A'r swyddog *Intelligence* yn binc ac yn gyfiawn ac roedd Owain isio estyn ar draws y ddesg a gafael ynddo, a'i ddyrnu.

"*Shit!*"

Torrodd y rheg ar draws feddyliau Owain. A rhegodd Symonds unwaith eto.

Ond roedd popeth wedi bod mor rhwydd. Roedden nhw wedi cyrraedd y fynwent mewn pryd a doedd neb wedi eu gweld. Roedden nhw wedi aros yno, yn disgwyl i'r tafarnau gau, ac am O'Leary; y llwybr drwy'r fynwent oedd ei lwybr adref bob tro yr âi i'r dafarn. Ac roedden nhw wedi gwrando: ar sŵn deuoedd, trioedd, yn dod o'r dafarn i lawr y ffordd; ar y chwerthin caled a'r ffarwelio; ar ddrysau ceir yn cau'n or-galed a'r ceir yn gyrru i ffwrdd. Ar rywrai'n cerdded heibio i'r fynwent, yn sgwrsio'n dawel.

Ac yna daeth O'Leary ei hun i'r golwg, drwy giât y fynwent, yn ei jîns a'i esgidiau cowboi a'i siaced ledr a oedd yn ddigon llac i guddio'r pistol Colt a ffafriai.

Camodd Symonds yn dawel o'r tu ôl i goeden ywen a chyn i O'Leary allu estyn am ei wn, roedd wedi ei dynnu i'r llawr a'i ddal yno ar ei fol a'i fraich wedi ei phlygu i fyny ei gefn. Gosododd Owain flaen tawelydd y Browning yng nghefn gwddf y Gwyddel.

Yn y pant bach rhwng ei wegil a'i benglog.

Ac yna roedd y peth drosodd. Mewn tro mor fyr o'i ddechrau i'w ddiwedd fel nad oedd cyfle i O'Leary weiddi, hyd yn oed mewn braw.

Dianc wedyn o'r fynwent, a thros y caeau i'r *rendezvous*. A hwnnw hefyd yn daclus ac yn ddi-dyst.

Y bore wedyn yn y barics, yn dal heb ddadweindio'n llwyr, roedd Owain yn gwrando ar y radio i glywed y newyddion. Fyddai'r Bîb ond yn cyfeirio at O'Leary fel *suspected terrorist* ond roedd yn fwy na hynny. Gwaith Dermott Anthony O'Leary oedd lladd ar ran y *Provos*. Ac roedd Owain, yn ddistaw bach, am glywed cydnabod ei waith yn gyhoeddus.

Roedd swyddog wedi dod i'r *mess*. Gwelodd Owain a daeth draw ato.

"Lloyd. Come with me please."

Dilynodd Owain y swyddog i un o gabanau ochr y barics ac i swyddfa o ryw fath. Yno, ar gadair o flaen desg, roedd Symonds. Cyfeiriodd y swyddog â'i fys at gadair arall yn ymyl un Symonds, ac eisteddodd Owain. Edrychodd Owain a Symonds ar ei gilydd, ac yna'n ôl at y swyddog.

Dechreuodd hwnnw siarad. Dywedodd mai *Captain* Hammond oedd ei enw a'i fod yn gweithio i *Army Intelligence*. Dywedodd fod problem wedi codi ynglŷn â job y noson cynt.

"To put it simply," meddai, *"you killed the wrong man."*

Mae'n debyg mai rhyw greadur anffodus o'r enw Liam

McLochlain a laddwyd. Ac oedd, roedd yna debygrwydd rhyngddo fo ac O'Leary, yn arbennig o ran ei ddillad. Yn ffodus doedd neb wedi gweld y saethu na gweld pwy wnaeth, ac felly mi fyddai'n weddol hawdd celu'r peth. Ond roedd *tour* Owain a Symonds yng Ngogledd Iwerddon ar ben.

*

Y bore wedyn roedd Owain yn ôl ym marics Henffordd yn wynebu diwedd ei yrfa yn yr *SAS*. Un pwrpas yn unig oedd i'w ddychweliad i wersyll cartref y Gatrawd: iddo dderbyn y gorchymyn *Returned to Unit*, yr hysbysiad swyddogol o'i ddiarddel.

Roedd wedi treulio'r noson ar ei ben ei hun, mewn caban ymylol moel, di-wres, ar wely *War Department* cul, gwichlyd. Doedd o ddim wedi cysgu'n dda. Ac erbyn y bore 'ma roedd ei feddwl fel trombôn, a surni crebachlyd yn cnoi ei gymalau ac yn crino ei gyhyrau.

Doedd dim golwg o Symonds; doedd Owain ddim wedi ei weld ers y cyfweliad efo Hammond, ac roedd hynny'n od. Ond peth felly oedd y Fyddin. Byddai Owain yn amau weithiau bod a wnelo'i waith mwy â'r Brodyr Marx nag â Marcsiaeth.

Syllodd ar y ffurfiau a'r ymylon onglog yn y gwyll graeanllyd uwch ei ben a theimlai anghysur anghynnes y blancedi tamp yn treiddio trwy ei grys-bach cotwm gwyrdd. Roedd yn gwybod beth oedd i ddod: dychwelyd i Wrecsam, i'r Ffiwsilwyr, a threulio gweddill ei yrfa filwrol efo nhw. Fyddai neb yn dweud dim, wel ambell geg fawr yn ffansïo'i lwc efallai ond fe wyddai sut i drin y rheiny. Ond mi fyddai pawb yn gwybod. Ei fod wedi ei ddychwelyd yno. Ei fod wedi methu â dal yn yr *SAS*. Ac mi fydden yn ei wylio. Am wendid, am lithriad. Cododd dŵr poeth i'w lwnc.

Fe'i lyncodd yn ei ôl.

Ac o'i gwmpas roedd y wawr oerllyd yn pylu'r gwyll a'r cysgodion yn cryfhau.

Ysgydwodd ei hun. Allai ddim gorwedd fan hyn a gwneud dim ond disgwyl ei ddiwedd. Roedd yn rhaid iddo wneud rhywbeth, a hwnnw'n wneud corfforol, rhywbeth a gadwai ei feddwl ar waith. Cododd ac aeth i ymolchi. Doedd y Bannau ond rhyw bymtheng milltir i ffwrdd. Fe fachai fap a chwmpawd, rhoi ychydig o fwyd a chwpwl o boteli dŵr mewn rycsac. A rhedeg yno.

Awr yn ddiweddarach roedd wedi gadael y gwersyll. Rhedai'n rhwydd ond ddim yn galed. Roedd am i'w frecwast dreulio. Ond roedd y surni yn ei waed yn dechrau cilio ac yn raddol roedd ei nerth yn dychwelyd. Ymhen hanner awr roedd yn dyrnu ei draed i'r ffordd a'i chwys yn oeri yn llif awel ei gyflymdra. Gwelai'r mynydd yn dod yn nes, weithiau'n syth o'i flaen ymhen y ffordd, weithiau dros ben gwrych, ond o hyd yn dod yn nes. Nid y Berwyn mohono, ond roedd yna rug a rhedyn, migwyn a mawn, brwyn a chriafol ar y Bannau hefyd. Ac roedden nhw'n dod yn nes, a'u harogl ar y gwynt. Rhedodd yn galetach.

Fel petai'n dianc adre.

Trodd i lonydd culach a chulach, ac yna i wtra fwdlyd a chae. Gwthiodd ei ffordd drwy redyn coch tal, uwch na'i ganol ac roedd ei oglau tamp ffwnglyd yn dda ganddo. O'i flaen, o'r golwg, fe glywai nant ac am honno yr anelodd ei gamau. Yna fe'i gwelodd, ar y mynydd uwch ei ben, yn cwympo'n edafau gwyn ar hyd hollt traul tywyll ar ei ffordd i wely gwastatach yng nghanol y rhedyn.

Roedd y nant ganllath neu ddau o'r wtra, ac roedd pen honno'n bell o'r ffordd galed. Fe gâi Owain lonydd fan hyn, llonydd y math o le roedd yn ei gysylltu â phobl oedd â diddordeb ynddo oherwydd ei fod yno, yn bodoli, ac nid oherwydd ei fod yn ddefnyddiol. Tynnodd ei rycsac, a siwmper o hwnnw i'w gwisgo rhag iddo oeri, a chôt i'w rhoi ar lawr. Eisteddodd, ac estyn diod a brechdan Spam. Cymerodd gegaid ohoni a dechrau cnoi. A mynd i'r afael â'i feddyliau.

Dim ond tri o'r hanner cant a mwy a ddechreuodd gwrs dethol yr SAS efo Owain oedd wedi pasio. Ac roedd o'n un o'r tri. Roedd wedi mwynhau y 'mynd am dro ar y mynydd' fel y disgrifiai'r hyfforddwyr yr oriau a'r milltiroedd, llawer ohonyn nhw yn y tywyllwch, ymhob tywydd, a dreulion nhw'n rhedeg o *rendezvous* i *rendezvous*, yn aml dan bwysau sachau *bergen* a *webbing* a gwn. Roedd yn galed, ond doedd y mynyddoedd ddim yn ddieithr iddo. Chafodd ddim trafferth efo'r gwaith 'adeiladu tîm', y mordwyo, y saethu ac ati, nac efo'r bwtsiera anifeiliaid fferm a oedd yn rhan o ddysgu sut i fyw 'oddi ar y tir'.

Ond bu bron iddo fethu, er hynny. Oherwydd y *Tactical Questioning*, y prawf ar ei allu i wrthsefyll ei holi.

Fe ddechreuodd y prawf ar y mynydd lle roedd disgwyl iddo fo a'r lleill osgoi 'gelyn' o uned arall am gyhyd ag y gallen nhw. Wrth gwrs, fe ddaliwyd pawb – gyda chymorth yr hyfforddwyr – a'u cyflwyno i'r 'holwyr'.

Ar ôl ei stripio, ei ddrysu â sach dros ei ben a'i ddyrnu,

fe'i rhoddwyd i sefyll â'i wyneb at wal a'i freichiau a'i goesau ar led. Y tu ôl iddo roedd yna rywun efo gwialen a chwipiai ei ddwylo neu ei freichiau noeth pob tro y dechreuai'r rheiny gyffio a llithro o'u lle. O'r diwedd, wedi oriau di-saib, di-ddiod, cafodd ei yrru i adeilad arall a'i sodro ar gadair. Tynnodd rhywun y sach a'i hoglau hessian pwdr oddi ar ei ben a'i gyflwyno i oleuni llachar, poenus am eiliad. Blinciodd ei lygaid yn galed ac ar draws y bwrdd pren moel o'i flaen gwelodd ferch. Merch hardd, er gwaethaf ei gwisg unffurf, a'i gwallt aurfelyn wedi ei glymu ar dop ei phen a thwts o golur o gwmpas ei llygaid a'i gwefusau. Cyfarchodd Owain a chodi o'i chadair. Daeth o gwmpas y bwrdd ato ac yna heibio iddo, yn fwriadol o agos. Cofiai Owain, fel o'r newydd, y wefr ddryslyd a redodd drwyddo wrth glywed arogl ei phersawr a llusgiad ysgafn ei bysedd ar draws top ei fraich. Aeth hi i eistedd unwaith eto yr ochr draw i'r bwrdd gan lithro ei hun i'r gadair fel neidr ar fin bwyta. Edrychodd ar y papurau ar y ddesg o'i blaen ac, wrth wneud hynny, daeth â blaen ei thafod i'r golwg rhwng ei dannedd a'i fwytho'n fwriadol araf ar hyd ymyl meddal ei gwefus uchaf. Edrychodd i fyny a gwenu ar Owain. Prin y bu iddo sylwi pan ddechreuodd siarad ag o. Ond fe sylwodd ar yr hyn a wnaeth hi nesaf.

Dechreuodd agor botymau uchaf ei blows a phwysodd yn ei blaen dros y bwrdd. Gwelai Owain dop bronnau crynion ac ymyl uchaf les bra gwyn. Rhuthrodd gwefr blys drwy ei lwynau. A chilio'n syth mewn dryswch ac ofn.

"*Well?*" meddai hi. "*Do you like what you see?*"

Roedd ei lais yn crygu wrth ateb, "*I cannot answer that question, ma'am.*"

"*Really? Are you sure?*"

"*I cannot answer that question, ma'am.*"

"*You're Owen, right?*"

Dechreuodd Owain adrodd ei enw, ei reng a'i rif cyfresol.

"*Yes, yes,*" meddai hi'n ddiystyriol. "*I know all that. Owen's a Welsh name, isn't it?*"

Pwysleisiai'r ynganiad 'Owen' yn hytrach nag 'Owain'. Dechreuodd Owain wingo.

"*I cannot answer...*"

Gwaeddodd ar ei draws. "*You're Welsh, aren't you?!*"

"*I...*"

Yna, yn sgwrsiol unwaith eto, "*Don't you people f*** sheep?*"

Oedodd Owain cyn ateb.

Dyna i gyd oedd ganddi? Ymlaciodd fymryn.

"*I cannot...*"

"*Those children in Aberfan deserved to die.*"

Roedd yna saib. Ysbaid rhy fyr i ddyn dynnu gwynt; ond digon hir i Owain glywed ei du mewn yn crebachu oddi ar ei sgerbwd.

Llifodd eger o deimlad trwyddo a tharo ar agor y drws yr oedd wedi ei gau rhyngddo'i hun a'r byd. Teimlodd ru poeth o ffieidd-dod yn ysu trwy ei fynwes a'i feddwl. Petai o'n Sais o'r *Paras* mi fyddai hon wedi gweld ei datŵ ac wedi mynd ati i grafu ei falchder. Petai ganddo bidlen corrach mi fyddai wedi chwerthin am ei ben. Ond roedd o'n Gymro. Dyna roedd hi wedi ei ddewis fel ei fan gwan ac allai o ddim credu mor orchfygol o sinigaidd oedd yr agwedd, y meddwl, y tu ôl i'w hergyd. Roedd hi'n aflan, hi a'i hwyneb a'i hoglau a'i bronnau. Fel tomen wastraff pwll glo. A'r un drewdod asid brwmstan o'i chwmpas.

Roedd wyneb Owain yn llidio, ei lygaid yn culhau, ei ddwylo'n troi'n ddyrnau. Ac fe sylwodd hi, ac aros o'i flaen â'i llygaid yn loyw, yn ddigon agos iddo'i chyrraedd.

Roedd yn ei wahodd i'w tharo, i'w rhegi, ei diawlio.

A daeth adlais iddo o rybudd yr hyfforddwr:

"These people like nothing more than to make someone in the SAS talk; they're pros, it's their job and they're bloody good at it."

A gafaelodd yn ei deimladau, a'u dal nes i don ei emosiwn dreio.

Caeodd ei ddrws.

A goroesi'r prawf. Ac, ymhen amser, cyfiawnhau'r cwestiynu.

Ond allai ddim cyfiawnhau'r feddylfryd, y diwylliant, a oedd y tu ôl iddo.

Ond fe basiodd y prawf. A phob prawf arall.

Ac wedi iddo gymhwyso'n derfynol fel aelod o'r *SAS* fe'i hanfonwyd i Rhodesia. Doedd yna ddim byd yn gymhleth yn y peth: roedd i helpu atal Mugabe rhag sefydlu unbennaeth Gomiwnyddol yno. Ond bu iddo gyfarfod â Joshua. Ac roedd Joshua'n gweld y brwydro'n ddim gwell na ffrae cŵn: yn beth swnllyd, annifyr, dinistriol nad oedd – yng nghyd-destun oesol y *veldt* – yn golygu dim. A gorfododd Owain i resymoli'r hyn oedd o a'r hyn roedd yn ei wneud. Gwnaeth hynny, ymhen hir a hwyr, drwy ddod i'r casgliad nad oedd dim dyfodol i Joshua nac i'w ffordd o fyw, bod yn rhaid i bob dyn fyw yn y 'byd go iawn'.

Ond a oedd y byd roedd Owain yn byw ynddo, y byd

o gêmau grym didostur a rhyfel, yn fwy 'go iawn' nag un Joshua?

Yng Ngogledd Iwerddon fe gafodd ei hun ynghanol rhyfel a oedd i bob pwrpas yn rhyfel gangiau. Roedd wedi meddwl mai ei waith o yno oedd dinistrio'r *IRA*. Ond roedd mwy iddo na hynny. Yn ystod ei oriau olaf yng Ngogledd Iwerddon roedd, yn ddistaw bach, wedi gwylio adroddiad ar y newyddion am ladd Liam McLochlain. Roedd Heddlu'r *RUC* yn trin y farwolaeth fel llofruddiaeth sectaraidd gan ddynion arfog Protestannaidd. Ac roedd y *Provos* wedi cyhoeddi y bydden nhw'n dial am y farwolaeth. Roedd yn amlwg bod Owain a Symonds wedi gwneud pethau'n waeth, nid yn well.

Ac roedd Owain yn gwybod y byddai aml un o'r rhai y bu'n gweithio efo nhw wrth eu bodd â hynny.

Edrychodd o'i gwmpas. Ar y nant a'r creigiau a'r mynydd. Ac yna ar yr awyr glytiog o las a chymylau uwch ei ben.

Heibio i'r cymylau, a'r hyn a lasai'r awyr y tu hwnt iddyn nhw, roedd gwacter mawr y bydysawd. A'r sêr. A'r galaethau. A'r galaethau o alaethau, a'r rheiny'n ddirifedi ac efallai'n ddiddiwedd. Ynghanol hynny i gyd roedd y byd yn fach, yn llai na'r brycheuyn lleiaf o lwch. Ac roedd dyn yn ddim.

Ond nid y math o ddim yr oedd y dyn cyffredin, y dyn bach, yn y bydysawd dynol.

Treiddiodd sŵn y nant yn araf deg, a phob yn dipyn, i feddyliau Owain. Clywai gân yn y dŵr, cân ei lif parhaol o gwmpas y cerrig a swatiai'n fodlon dan eu gorchudd o fwsog gwyrdd a melyn a du yng ngwely'r nant. Glaniodd aderyn bach streipiog du a gwyn ar ymyl y dŵr ac edrych ar Owain, gan godi a gostwng ei gynffon hirfain fel petai'n cyfarch y dyn ar y dorlan. Doedd Owain ddim wedi gweld sigl-di-gwt ers iddo adael Blaencwm, ac wrth syllu ar yr aderyn bach bywiog a'i lygaid duon gloyw fe ddaeth pwl o hiraeth drosto.

Fyddai hi ddim yn ddiwedd y byd cael mynd yn ôl i Gwm Llawenog, a chael yno'r un cyfle i fyw ag oedd gan hwn.

Ond...

Y Fyddin oedd ei gartref bellach, ac roedd yn dychryn wrth feddwl am ei gadael. A, beth bynnag, onid oedd wedi profi i bawb ei fod yn un o'r goreuon, yn un o'r *élite*?

Gorweddai ei ddiarddel fel dŵr carthffos yng ngwaelod ei fol.

*

Roedd yn hwyr y prynhawn pan gyrhaeddodd yn ei ôl i'r gwersyll. Teimlai'n gliriach ei feddwl a rhywfaint yn ysgafnach ei ysbryd, yn fodlon yn ei flinder corfforol ac o gael defnyddio'i gorff i'w eithaf unwaith eto. Aeth i'r caban, ac yno ar y gwely roedd amlen frown – ei orchymyn *Returned to Unit*, 'debyg. Estynnodd dywel a sebon; doedd dim yn yr amlen na châi aros nes iddo ymolchi a newid i ddillad glân.

Roedd dŵr y gawod yn boeth ac roedd digon ohono. Fel arfer byddai Owain yn gadael y gawod yn syth iddo olchi'r chwys a'r baw oddi arno'i hun i fynd at bethau amgenach. Ond heddiw fe arhosodd dan lif y dŵr ac ymhyfrydu yn anwes y pigau mwyn glân. Heddiw, hwn oedd y peth amgenach: ymollwng oddi wrth ei boen a'i euogrwydd, a'r frwydr barhaus dros ryw iawn anniffiniedig a glendid ei gydwybod. Heddiw, roedd glendid dŵr a sebon yn ddigon.

Cyrhaeddodd yn ôl at ei wely mewn hwyliau da, ac yn barod am bryd iawn o fwyd. Gosododd ei dywel i sychu dros y rheiddiadur oer ac edrych ar yr amlen ar ei wely. Fe gâi aros nes iddo wisgo. Estynnodd ddillad glân a'u gwisgo amdano ac eistedd ar y gwely i glymu ei esgidiau. Gorweddai'r amlen o fewn modfeddi i'w glun, ond chyffyrddodd mohoni. Aeth i olchi ei ddillad rhedeg.

Uwchben y sinc, a'i ddwylo yn y dŵr sebonllyd, fe ddechreuodd feddwl. Ai drwy nodyn mewn amlen ar ei wely roedd dyn yn derbyn gorchymyn *RTU*? Roedd yn ddull ychydig yn anffurfiol, hyd yn oed i'r *SAS*. Yna fe lithrodd rhywbeth arall i'w feddwl. Beth os mai neges gan Gwyn oedd o? Doedd Richard Lloyd ddim yn ddyn ifanc, a ddim mor sionc ers i Anti Enid farw. Ac o wybod ei hynt a'i helynt ei hun yn mynd o un lle i'r llall yn ddiweddar, fe allai'r nodyn fod wedi gorfod ei ddilyn o gwmpas Ulster ac yn ddyddiau oed. Tynnodd ei ddwylo o'r sinc a fflicio'r dŵr a'r sebon oddi arnyn nhw. Sychodd weddill eu gwlybaniaeth ar ei drowsus wrth fynd.

Daeth at y gwely ac estyn yr amlen. Gwthiodd ei fys dan y fflap a'i rhwygo ar agor a thynnu'r llythyr ohoni. Doedd o ddim yn llythyr swyddogol gan y fyddin; doedd dim ffaldirál Catrawdol ar hyd ei dop.

Eisteddodd ar y gwely a'i ddarllen. A dechreuodd ei lygaid ruthro, ynghynt ac ynghynt, dros y geiriau. Wedi cyrraedd y diwedd swta fe arhosodd eiliad neu ddwy.

Darllenodd y llythyr unwaith eto, yn arafach. Ac arhosodd ei lygaid yn hir ar un cymal penodol.

Aeth ei ben i lawr, a'i lygaid i edrych ar ddiddymdra'r llawr rhwng ei draed, heb ei weld. Cododd fysedd i'w dalcen i fwytho'r rhychau a oedd wedi ymffurfio yno uwchben yr aeliau dwys. A rhwng ei liniau, yn crogi'n llipa o'r llaw arall, roedd y llythyr.

Roedd yn cynnig cyfle iddo aros yn y Gatrawd.

7
Dy wialen a'th ffon

Roedd oglau'r hydref yn yr awyr a thawelwch golau cyntaf ac olion cwsg yn drwch o gwmpas buarth Glanrafon. Cyrhaeddai'r cymdogion yn unigolion, yn ddeuoedd a thrioedd, a thrawai glec a chrafiad eu hesgidiau ar draws y cerrig buarth yn galed ar y glust foreol, ond doedd dim malais ynddo. Cyfeiliwyd i'w dyfodiad a 'chwip chwip' eu trowsus rib gan anadlu sydyn eu cŵn a drotiai i ymestyn a chwtogi'r pellter rhwng eithafoedd eu cylchu a chysgod eu meistri, cyn ufuddhau i orchymyn 'gorfedd' neu 'lei down' a'u tafodau pinc yn crogi dros ymyl cegau a wenai o falchder pwrpas a llawenydd bod.

Roedd Edwart Hughes allan ers tro i groesawu a sgwrsio, ac yn ei le yn y cylch dynion yn hamddenol drafod rhagolygon y tywydd am y dydd. Safai Gwyn yn ymyl Richard Lloyd, yn ddistaw, a'i ddwylo'n gorffwys ar ben crwn ei ffon fugail heb gyfrannu at y sgwrs oni fyddai gofyn iddo; y dynion hŷn oedd yn arwain heddiw, ac un o ddibenion y sgwrsio oedd cadarnhau trefn yr arwain.

Y tu ôl i'r dynion, yng ngolau glasoer yr haul hydrefol ac i fyny tri neu bedwar o stepiau o'r buarth, safai tŷ Glanrafon. Y tu ôl i hwnnw a'r ochr draw i'r dolydd roedd haenau rhesog tarren Tangraig, wyneb y mynydd, ac fe drawai Gwyn mor ddisglair lachar oedd gwyngalch y tŷ o'i gymharu â gwynder hynafol y calchfaen. O flaen y tŷ roedd yr ardd. Roedd Elisabeth Hughes yn falch o'i gardd, a hyd yn oed rŵan pan oedd y perthi'n ymgilio at y gaeaf ac yn troi'n hunanol ac yn esgeulus o'u gogoniant hafaidd, roedd yr ardd yn dwt. Sylwodd Gwyn hefyd ar y goeden lelog yng nghornel y buarth, lle cyfarfyddai wal derfyn y cae â wal yr ardd. Roedd clystyrau porffor ei blodeuo wedi hen fynd a bellach roedd ei dail yn colli eu lliw, rhai eisoes yn frown a'r gweddill yn melynu'n llipa yn yr awyr oerllyd. Cyn hir fe ddeuai'r barrug, a thaflu'r hyn a fu gynt mor fyw yn weddill diwedd oes ar lawr.

Cyrhaeddodd yr olaf o'r dynion a daeth Elisabeth Hughes allan o'r tŷ.

"Oes gen bawb baned a thamed o fwyd?" gofynnodd. Pe byddai'n cynnig paned wrth y bwrdd mi fyddai'n rhaid i bawb dderbyn, a fyddai'n golygu cychwyn yn hwyr. Ond allai hi ddim croesawu pobl i Lanrafon heb gynnig dim iddyn nhw.

Diolchodd pawb iddi a'i sicrhau bod ganddyn nhw i gyd fflasg a bwyd, mewn bag, neu yn ymyl.

Roedd heddiw'n ddiwrnod hel mynydd. Amcan yr hel oedd dod â'r defaid i lawr at y dolydd lle byddai Edwart Hughes yn eu troi at yr hwrdd ac yn eu cadw dros y gaeaf. A'r cynllun heddiw oedd anfon dau griw, un i bob ochr y mynydd, i hel y defaid i'r corlannau yn nau ben Tangraig ac yna cyfarfod yn ôl yng Nglanrafon am de. Sylwodd Gwyn bod y trefnu wedi cymryd llawer llai o amser na'r cyfarch a'r rhannu newyddion, ond roedd yn dechrau dysgu mai buddsoddiad oedd amser sgwrs nid sŵn i lenwi amser. Heddiw, ei bwrpas oedd lleihau'r camddeall hwnnw sy'n dinistrio cydweithio pobl; byddai'n talu ar ei ganfed ar y mynydd. Ac wedi hynny hefyd.

Dechreuodd y dynion, gan alw ar eu cŵn, am y giât a arweiniai i'r ddôl y tu ôl i dŷ Glanrafon a'r llwybr oddi yno i'r mynydd. Safai Elisabeth Hughes ar ben y stepiau i'r ardd a dymuno'n dda iddyn nhw, a diolchodd pawb yn gwrtais iddi. Yna, wedi mynd drwy giât y ddôl, fe rannodd pawb yn ddeuoedd ac yn drioedd i fwynhau sgwrs bellach.

Roedd sawl un wedi sylwi bod gan Edwart Hughes gi defaid newydd efo fo, un ifanc, ac yn ei holi sut siâp oedd arno.

"Eitha," meddai Edwart Hughes yn ei ffordd onest ddiymhongar arferol. "Dwi 'di bod yn 'i redeg o ar y dolydd ac mi oedd 'na siâp reit dda arno'n fan'no."

Roedd yn edrych yn gi go fywiog.

"Yndi. Mae o. Ond mi ddaw i drefn."

Cytunwyd mai dyna oedd yn siŵr o ddigwydd, a holwyd dim mwy ynghylch y ci ifanc. Mi fyddai hynny wedi bod yn anghwrtais.

Roedd Gwyn a Richard Lloyd yn y criw a oedd i fynd i ochr Swch Tangraig. Âi'r llwybr heibio'r corlannau ac yna troi i fyny'r hafn eang redynnog a arweiniai i'r mynydd o'r Swch at y gyfres pistyllau hardd a lifai o Ddolydd Ceiriog. Dechreuai'r llwybr yn o lydan a glaswelltog ac yna, wrth gyrraedd y llethrau, culhâi yn ddim mwy na llwybr defaid caregog, ac roedd angen dringo dros y creigiau a roddodd fod i'r pistyllau. Dan draed roedd mwd ysgafn yr hydref llaith yn ymwthio rhwng llafnau byr glaswellt y mynydd ac yn glynu'n rhimyn golau o gwmpas gwaelod esgidiau Gwyn a Richard Lloyd. Cyn hir byddai'r ddau'n cyrraedd y fawnog a'r rhimyn yn troi'n borffor-ddu.

"A' i o gwmpas Twmpathe," meddai Richard Lloyd, gan gyfeirio at ben y mynydd. "Cer di i'r fron 'rochor arall i Domen y Bwlch. Mi g'warfwn ni wrth Pistyll Canol."

Mi fyddai hynny tua chanol y prynhawn. Y dasg tan hynny oedd cerdded at ac ar hyd ffens derfyn y fron a redai i lawr o Twmpathe i waelod cwm Nantyr, a hel o fan'no yn ôl i gyfeiriad hen domen gladdu Tomen y Bwlch a'r pistyllau.

Erbyn un ar ddeg o'r gloch roedd Gwyn wedi hel y pen pellaf a'r defaid yn cerdded oddi yno'n ufudd yn eu rhesi. Eisteddodd ar glawdd isaf Ffordd Saeson i gael paned, ac edrych draw at ffriddoedd a gwastadeddau gwyrddion Plas Nantyr yr ochr draw i'r cwm. Roedd Mic a Moss, y cŵn, wedi gorffen trotian a thrwyno ar hyd y grug ar ymylon yr hen lwybr ac, ar ôl marcio hwnnw'n drwyadl â'u dŵr, yn gorwedd yn hapus wrth ei draed.

Wyth cant o flynyddoedd yn ôl roedd Harri'r Ail, brenin Normanaidd y Saeson, wedi dod â byddin o ugain mil a mwy o filwyr tâl ar hyd yr hen ffordd fynydd hon – y digwyddiad a roddodd iddi ei henw. Roedd Harri, fel ei fath cynt ac wedyn, am gymryd Cymru'n eiddo iddo fo'i hun, ond i wneud hynny roedd yn rhaid iddo orchfygu ei phobl a oedd yma, yn y gogledd, dan arweiniad Owain Gwynedd. Ceisiodd Harri ddod dros y Berwyn i ymosod yn ddirybudd ar y fyddin Gymreig, a oedd ar y pryd yn gwersylla yng Nglyndyfrdwy, ond methodd â chroesi Dolydd Ceiriog, y siglen ym mhen y Ffordd; roedd y tywydd wedi bod yn anarferol o wlyb ac roedd yr effaith ar y siglen yn hawdd ei dyfalu. Mae sôn i Harri golli ei drysor yno. Yn ei ddicter fe dynnodd lygaid ei dywyswyr a chilio ar hyd topiau Nantyr i lawr tua'r Waun at Faes Crogen. Ac yno fe gafodd y fath gweir gan Gymry Owain na ddaeth byth yn ei ôl.

Gorffennodd Gwyn ei baned a ffliciodd ei gwpan er mwyn taflu gweddillion duon y dail te i'r grug. Roedd ganddo deimlad bod rhywbeth mwy na hap, byrbwylledd ac Owain Gwynedd wedi trechu uchelgais Harri'r Ail.

Paciodd ei fflasg a chychwyn efo'r cŵn ar ôl y defaid.

Ganol y prynhawn fe gyrhaeddodd Bistyll Canol. Roedd Richard Lloyd yno'n barod, yn eistedd ar graig wrth y dŵr. Aeth Gwyn ato'n disgwyl ei "Wel, sut a'th hi?" serchog arferol. Ond ddaeth o ddim. Aeth Gwyn at ei ewyrth ac eistedd yn ei ymyl. Roedd tyndra straen yn osgo'r hen ŵr a'i wyneb yn welw.

"Ydi popeth yn iawn?" gofynnodd Gwyn yn bryderus.

"Nac 'di, 'machgen i. Ddim yn dda iawn." Roedd ei anadlu'n llafurus a thrwm. "Mi wyt ti'n gwbod 'mod i 'di bod yn colli 'ngwynt yn ddiweddar, ond gyda bod yna gymaint i'w wneud, rhwng y seli a hel mynydd y gwahanol ffermydd, dwi 'di bod yn ei roi o o'm meddwl." Cymerodd saib arall i gael ei wynt. "Beth bynnag, ryw awr yn ôl mi fu'n rhaid i mi redeg i gadw hen fitsh o hen ddafad rhag troi'n ôl i'r mynydd. 'Se hi 'di llwyddo, 'se hanner y gyr 'di mynd efo hi." Arhosodd eto i anadlu'n ddwfn. "Wel, mi ges i hi i fynd lle'r oedd hi i fod, ond mi ges boen sydyn yn 'y mrest, a bu bron i mi lewygu. A dois i fan hyn, i drio dod drosto."

"Rhaid i ni fynd â chi at y doctor."

"Hm."

"Liciech chi i mi hel gweddill Twmpathe?"

"Mae o di'i neud, paid â phoeni. Ond 'swn i'n gwerthfawrogi dy gwmni di dros y creigiau 'na ar y ffor' lawr."

Aeth Richard Lloyd ati i godi ar ei draed. Gwthiodd ei hun i fyny'n araf gan bwyso ar un llaw a chynigiodd Gwyn ei fraich iddo afael ynddi.

"Diolch, Gwyn."

Safodd Richard Lloyd, ac aeth y ddau yn bwyllog yn ôl at y llwybr ac i lawr am y dolydd.

Roedd yn amlwg o'r diffyg defaid ar y llwybr fod y lleill wedi codi rhai Gwyn a Richard Lloyd a'u hel gyda'r gweddill i'r corlannau. Roedd giât y mynydd wedi ei chau a'i chlymu a dringodd y ddau ddyn dros y gamfa yn ei hymyl. Roedd llaw Richard Lloyd yn gafael yn dynn yn y postyn cynnal wrth wneud.

Yna fe gerddodd y ddau'n araf, ar i lawr o hyd, i gyfeiriad y corlannau. Lledodd y llwybr a throi'n laswellt ac roedd yn bosibl cerdded ochr yn ochr. Yna fe arhosodd Richard Lloyd.

"Dech chi'n iawn?" gofynnodd Gwyn.

Cododd Richard Lloyd ei law yn arwydd i dawelu. Roedd yn gwrando. A gwrandawodd Gwyn.

Yn y pellter roedd yna weiddi. Gweiddi uchel, dig. Gwasgodd Richard Lloyd ei wefusau at ei gilydd a gwgodd, nid o ddicter ond fel petai atgof trist wedi ymyrryd â'i feddyliau.

"Ty'd," meddai, ac arwain Gwyn at graig fechan. Eisteddodd ac amneidio ar Gwyn i ddod i'w ymyl. O'r graig roedd yn bosibl gweld hyd gwaelod y cwm, o giât y mynydd i lawr at Lanrafon ac, yn syth oddi tanyn nhw, y corlannau. Wrth agoriad ucha'r corlannau roedd Edwart Hughes. Roedd ar ei liniau, â'i ffon yn ei law. Ac roedd yn ergydio.

Trawai â'i holl nerth, a'i ddwy law yn gafael ym mhen ucha'r ffon ac yn cyfeirio ei gwaelod hi at gefn ei gi ifanc. Gwaeddai nerth esgyrn ei ben, a'i rwystredigaeth yn troi'r waedd yn llefain bron yn ddagreuol. Safai'r ci yn llonydd a derbyn yn ufudd yr ergydion. Edrychai heibio i'w ysgwydd ar ei feistr, a'i ben i lawr, yn euog fud.

Roedd Gwyn wedi ei syfrdanu. Doedd o erioed wedi gweld unrhyw un yn ffustio ci o'r blaen ac roedd gweld dyn mor addfwyn ag Edwart Hughes yn colli arno'i hun yn y fath fodd yn fraw iddo. Edrychodd ar Richard Lloyd.

"Ci ifanc," meddai hwnnw. "Yn meddwl bod y byd yn faes chwarae iddo."

Edrychodd Gwyn yn ôl at yr hyn a oedd yn digwydd wrth y corlannau.

"Wedi chwalu'r defaid?" gofynnodd.

"Droeon, feddyliwn i, i ysgogi'r fath bantomeim."

Yr eiliad honno, fel ystlum golau dydd anferthol, hedodd awyren filwrol ddu dros ymyl bella'r cwm ac ar ei thraws. Dilynodd Gwyn ei chwrs nes iddi lithro o'r golwg dros y grug a orchuddiai ael a chorun Tangraig. Yna daeth rhu ei hinjans. Trawodd ochrau'r cwm a'i lenwi, gan ddiasbedain yn ôl ac ymlaen o'i dop i'w waelod fel afalans o daranau. Yna gwasgaru. A gadael yr awyr yn un cryndod o syndod a braw.

Pan drodd Gwyn ei olwg yn ôl at y gorlan roedd Edwart

Hughes yn clymu'r giât. Doedd dim arwydd yn ei osgo na'i olwg ei fod hyd yn oed wedi sylwi ar yr awyren, na'i thwrw dychrynllyd.

Ac o'i weld mor ddidaro fe drawodd Gwyn fod rhywbeth mwy i fywyd nag awyrennau rhyfel i un a oedd â'i fyd yn y mynyddoedd. A bod dim lle yn y byd hwnnw i'r awyren mwy nag oedd i Harri'r Ail. Yma roedd grym milwrol mor ddiwerth â chi ifanc anufudd.

Ac yn arwain i'r un pen draw.

Roedd Richard Lloyd yn codi i fynd. Cododd Gwyn at ei ewythr ac aeth y ddau'n bwyllog yn ôl i'r llwybr. Ar y ddôl islaw, ar ei ffordd yntau yn ôl i Lanrafon a'i gerddediad yn sicr a phendant, roedd Edwart Hughes, a'r ci ifanc yn dilyn yn ufudd wrth ei sodlau.

8
Y llaw a rydd

Ychydig ddyddiau ar ôl iddo dderbyn y llythyr yn yr amlen frown roedd Owain yn Llundain ar stryd heb fod ymhell o Sloane Square. Safai o flaen drws du â gwydr barugog yn ei ran uchaf a tholciau budr ym mhaent ei ymylon. Cymerodd olwg arall ar yr adeiladau a safai ar y naill ochr a'r llall i wneud yn siŵr ei fod yn y lle iawn, ac aeth drwy'r drws. A chael ei hun mewn cyntedd Fictoraidd tywyll. Crogai bylb noeth o'r nenfwd, ac os oedd hwnnw'n gweithio doedd neb wedi trafferthu ei oleuo, a'r ychydig olau a gyrhaeddai baneli brownddu digalon y waliau wedi ei hidlo drwy ffenestr do siâp pig eglwys nad oedd neb, o'r olwg arni, erioed wedi ei glanhau. O dan ei draed roedd llawr bloc pren yr oedd ei staen wedi ei dreulio at y coed. Ac o'i flaen roedd yna gownter uchel du a chloch arno.

Canodd y gloch.

Ymhen rhai munudau daeth dyn o'r cefn. Dyn hŷn â llygaid treiddgar mesur a phwyso, a siwt lac porthor a fethai â chuddio caledwch ei gorff. Roedd Owain yn y lle iawn.

"*Yes?*" meddai'r dyn.

Cyflwynodd Owain ei hun a'r rheswm ei fod yno, a chafodd ei gyfeirio at ddrws. Aeth drwyddo ac fe'i caewyd, a'i gloi, ar ei ôl. Gorchmynnodd y dyn iddo roi ei oriawr, ei waled a gweddill cynnwys ei bocedi ar fwrdd-cardiau moel a safai yn ei ymyl. Yna aeth y tu ôl i Owain a gorchymyn iddo godi ei freichiau. Gweithiodd ei ddwylo'n sydyn, yn ysgafn ac yn fedrus dros y rhannau hynny o ddillad Owain a allasai gelu arf. Aeth drwy gynnwys pocedi Owain yn yr un modd deheuig a rhoi'r cyfan yn ôl ar y bwrdd. Nodiodd ei ganiatâd i Owain gymryd y cynnwys yn ôl. Yna gwnaeth arwydd iddo ei ddilyn.

Aeth y ddau i fyny set o risiau, ar hyd coridor golau â ffenestri gwydr barugog ar hyd ei ochr chwith. Ffenestri tref, meddyliodd Owain, wrth sylwi ar ffurf aneglur y waliau huddyglyd y tu ôl iddyn nhw. Cyrhaeddon nhw ddrws, ac wedi curo a chael ateb, fe aethon nhw i mewn i ystafell lydan uchel. Roedd ffenestr fawr ar un ochr, a'r stryd y tu allan iddi. Ar yr ochr arall iddi roedd yna ddesg, cabinetau a silffoedd o lyfrau a ffeiliau. Yn syth o'i flaen ar draws y carped trwchus glas golau roedd lle tân marmor gwag. Ac o flaen hwnnw, yn wynebu ei gilydd ar draws rỳg Bersaidd a bwrdd coffi o fetal gloyw a gwydr du, roedd dwy soffa Chesterfield felôr gwyn.

Cododd dyn o un o'r Chesterfields.

"*Trooper Lloyd*," meddai'n uchel gyda gwên. "*How are you?*"

Cyn-swyddog, meddyliodd Owain. Capten, mwy na thebyg. Roedd o'n rhyfedd mor sydyn roedden nhw'n mabwysiadu'r acen honno wrth fynd yn swyddogion, waeth beth bo'u cefndir.

Atebodd a chyflwyno'i hun.

"Paul Longshaw," meddai'r llall ac ysgwyd llaw Owain. Gorchmynnodd i Owain eistedd ac i Wilson, y 'porthor', ffonio am goffi.

Aeth Wilson draw at y ddesg, codi'r ffôn a deialu. Fe

atebwyd y porthor yn syth a rhoddodd ei neges mewn llais llyfn di-frys. Yna aeth i sefyll wrth y drws.

Roedd Longshaw, yn y cyfamser, wedi mynd yn ei flaen. Ers pa bryd y bu Owain yn y Gatrawd? Ie, ie. Rhodesia hefyd? Difyr iawn.

Sgwrs i sefydlu statws oedd hon. Mi fyddai rhywun fel Longshaw eisoes yn gwybod popeth o bwys am Owain.

Daeth y coffi. Tolltodd Longshaw baned iddo'i hun ac i Owain, ac aeth yn ei flaen. Roedd o mor glên nes i Owain hanner disgwyl iddo ddweud iddo gerdded rywdro i mewn i dafarn, rywle yng ngogledd Cymru, lle'r oedd pawb yn siarad... ac ati. Ond roedd Longshaw'n gwybod mai y fo oedd y bòs.

Dywedodd ei fod wedi cael ar ddeall fod sefyllfa Owain ar hyn o bryd yn un ychydig yn drafferthus.

Gwyliodd Owain o'n ofalus.

Roedd hefyd yn deall, waeth beth oedd y trafferthion, fod y Tîm yn Ulster yn awyddus i'w gadw 'ar eu llyfrau', fel petai.

Y tîm? holodd Owain yn ddiniwed. Ei dîm yn y Gatrawd?

Gwgodd Longshaw'n ddiamynedd.

Roedd Owain yn gwybod yn iawn am 'Y Tîm' – y rhwydwaith o swyddogion y gwasanaethau cudd ac *Intelligence* a reolai wybodaeth y lluoedd Prydeinig yng Ngogledd Iwerddon. Roedd yr olwg a gymylodd wyneb Longshaw'n ei gwneud yn amlwg mai atyn nhw yr oedd yn cyfeirio – ond roedd hefyd yn arwydd pellach o statws Owain.

Daeth Longshaw at ei bwynt. Roedd am gynnig

'cyfnod sabothol' i Owain – un o'r cyfnodau hynny pan fyddai aelodau'r Gatrawd yn gwneud gwaith nad oedd yn uniongyrchol gysylltiedig â gwaith y lluoedd arfog, ond a oedd yn 'ddefnyddiol', ac y byddai modd gwadu bod a wnelo fo unrhyw beth ag unigolion neu gyrff o bwys.

Cyfnod felly, meddyliodd Owain, oedd ei gyfnod yn Rhodesia. Ymlaciodd rywfaint.

Roedd gan grŵp Longshaw ddiddordeb yn Owain oherwydd ei fod, drwy ei waith yng Ngogledd Iwerddon, yn gyfarwydd â'u byd, y byd dirgel, a dulliau gweithredu'r byd hwnnw. Roedd Owain hefyd yn dod o Gymru, ac yn siŵr o fod yn gyfarwydd â'r 'dirwedd' yno, fel petai.

Y dirwedd? Roedd yna lawer yn yr *SAS* a oedd yn gyfarwydd â thirwedd Cymru.

Roedd Longshaw'n cyfeirio'n benodol at y dirwedd wleidyddol. A ffordd o feddwl y bobl – roedd Owain yn siarad yr iaith, on'd oedd?

Nodiodd Owain. Roedd yr ystafell, a ymddangosai mor eang gynt, fel petai'n graddol gau amdano.

Aeth Longshaw yn ei flaen yn llyfn i restru'r manteision o dderbyn y 'gwaith': mi fyddai cyfnod o'r fath yn cadw Owain o'r golwg nes bod popeth ynglŷn â'i 'sefyllfa' wedi tawelu; mi fyddai hynny yn y pen draw, wrth gwrs, yn golygu y câi aros yn y Gatrawd; ac, meddai Longshaw gan wenu, mi fyddai'n fodd iddo wneud swm bach teidi o bres.

Ystyriodd Owain am rai eiliadau. Yna gofynnodd, yn ofalus: beth yn union roedd angen ei wneud?

Dechreuodd Longshaw esbonio. Ac wrth iddo esbonio

fe ddaeth Owain yn ymwybodol am y tro cyntaf o natur grym a fu hyd at y munud hwnnw yng nghysgodion ei yrfa, ond a oedd yn sydyn yn ffiaidd o amlwg.

Roedd cynnig Longshaw fel wadin Duraglit, y stwff a ddefnyddiai Owain i roi sglein ar ei fyclau a'i fotymau pres, peth meddal a buddiol ar yr olwg gyntaf, ond a oedd wrth ei drin yn amlygu bachau bach mileinig ac oglau fel piso ci.

Beth os oedd Owain yn gwrthod y cynnig?

Roedd Longshaw yn siŵr fod Owain yn ddigon ymwybodol o sefyllfa Gogledd Iwerddon i wybod beth a allai ddigwydd i rywun nad oedd wedi ei 'gadw o'r golwg', fel petai.

Roedd Owain yn fwy nag ymwybodol. Teimlai ludded yn cynyddu yn ei fynwes fel balŵn blwm. A phresenoldeb Wilson a'r pistol trwm a gariai hwnnw dan ei gesail yn tyfu nes troi'n llethol. Ac anadl y 'porthor' – er gwaetha'r teirllath o ofod rhwng y soffa a'r man lle y safai hwnnw wrth y drws – yn anghynnes o boeth ar ei wegil.

Ysgydwodd ei hun. Nid dyma oedd y lle na'r amser i ildio i adwaith braw.

Pwysodd Longshaw yn ei ôl. Estynnodd ei freichiau ar hyd topiau esmwyth ei Chesterfield.

"Why fight it?" meddai. "Why not just go with the flow?"

Canodd cloch yng nghefn meddwl Owain. Nid y gloch rybudd a oedd wedi bod yn dyrnu ei hun yn ddim rhwng ei ddwy arlais ers iddo ddod i'r parlwr pry cop 'ma. Ond hen, hen gloch yn canu'n dawel yn un o gilfachau pell ei gof – ynglŷn â Gwyn, a'i styfnigrwydd, a'i wrthryfel yn erbyn diwylliant Ysgol Dre. A nythod gwenoliaid yn chwilfriw ar lawr y *quad*.

Roedd Longshaw'n ei wylio, yn disgwyl ateb.

A daeth Owain i benderfyniad.

Roedd pob llwybr, yn y pen draw, yn arwain i'r un lle. A doedd dim modd troi'n ôl ar yr un ohonyn nhw.

Ond roedd modd gwneud iawn.

Edrychodd ar Longshaw a dweud yn ddidaro,

"Sounds good to me."

9

Canys hwy a...

Roedd hi'n noson dywyll hydrefol a'r gwynt yn rhefru o gwmpas Blaencwm; hysiai'r dail sychion i lithro a phitran ar hyd cerrig y buarth a chodi, fel heidiau o ddrudwy crin, i droelli'n dorf gynhyrfus o wrych i wrych ar draws y caeau. Roedd pob drws o gwmpas y buarth wedi ei gau, popeth rhydd wedi ei roi dan do neu ei glymu, a Gwyn a Richard Lloyd wedi gwneud yn siŵr fod y catel a'r cŵn mor ddiddig ag y gallen fod.

Bellach roedd y dynion hefyd wedi noswylio ac yng nghegin fawr y tŷ. Rhuai'r tân yno gan mor galed y tynnai'r simnai a rhwng hwnnw a'u swper roedd y ddau yn gynnes braf, yn sgwrsio ac yn gwneud paned i orffen eu pryd. Estynnodd Richard Lloyd at y tebot a chodi'r het, ac yna'r caead. "Mae capel yn lle rhyfedd, w'est," meddai a rhoi tro i'r te efo'i lwy. Roedd yn ateb cwestiwn, ac am ei ateb yn llawn. "Mae o'n le ma dyn yn ei adeiladu i'w neud o'n bosib iddo addoli Duw." Gosododd y caead a'r het yn ôl yn eu lle. "Ond mae 'na fwy i hynny na dim ond cael lle i gyfarfod allan o'r tywydd." Roedd Gwyn yn ei wylio'n astud.

Dechreuodd dollti'r te i'r cwpanau. "Mae dyn, wel'di, yn gallu bod yn gradur anaeddfed iawn. Oherwydd bod ganddo feddwl ohono'i hun a bod rhywrai o'i gwmpas o wedi creu pob math o beiriannau a mwyth iddo, mae ganddo natur credu ei fod o'n fistar ar y byd."

Estynnodd gwpan Gwyn iddo, a'r llaeth, ac yna siwgr i'w baned ei hun. "Ac felly mae capel yn dod yn lle lle ma Dyn yn cyfarfod Duw ar ei delerau ei hun. Lle mae o'n gallu ei drin O, ddarn ar y tro, ei gau O mewn llyfr, a'i wasgu O i siwt haearn crefydd o'i wneuthuriad ei hun."

Aeth ati i ddiferu ei baned dros ymyl ei gwpan i'w soser, er mwyn iddi oeri. "Petai o'n addoli allan yng nghanol y greadigaeth, mi fydde fo'n gweld ei le yn y byd, a pha mor bwysig oedd o – dyn, hynny ydi – mewn gwirionedd. Ond mae cyfyngu Duw i adeilad yn golygu nad oes raid iddo neud hynny; mae dyn yn greadur mawr pan mae o mewn lle bach." Tynnodd waelod ei gwpan ar draws ymyl ei soser i hel y diferyn oddi arno at weddill y te. "Ond yn bwysicach na hynny, mae o'n cael meddwl fod ganddo'r hawl i wneud be licith o efo'r byd sy tu allan." Rhoddodd y cwpan ar un ochr. "Ac i anghofio nad ei fyd o ydi o."

Edrychodd Gwyn yn syn ar ei ewythr. Roedd wedi sylwi ers talwm nad oedd Richard Lloyd yn flaenor, ac wedi methu â deall pam. Ond dyma egluro'r peth. Allai un nad oedd yn derbyn hawl Dyn i wneud fel y mynno â'r Byd ddim bod yn arweinydd sefydliad a oedd wrth wraidd yr hawl honno.

Cododd Richard Lloyd ei soser i gymryd llymaid ohoni. "Ond mae'r Capel ar noson y cwarfod Diolchgarwch yn wahanol." Chwythodd dwll a thonnau crwm yn wyneb y ddiod goch felys. "Ma 'na glydwch ac agosatrwydd yno na chei di mewn gwasanaeth cyffredin. Mi weli di bobl yn siarad yn hytrach nag yn eistedd yn gwrtais fud cyn iddo ddechrau, ac yn sgwrsio'n hirach ar ei ddiwedd o."

Cymerodd sip a'i fwynhau. "A deud y gwir, mae'r cwarfod Diolchgarwch yn debycach i ŵyl nag ydi o i oedfa."

Sipiodd eto, sip hirach y tro hwn. "Mae o bron fel petai'r cynnyrch, y llysiau ac ati, yn dod â'r hyn a roddodd fod iddo i mewn i'r Capel efo fo."

Gorffennodd ei lymaid. "A'r Capel am unwaith yn cael bod yn dŷ Duw."

*

A heno, yn y Capel, roedd Gwyn yn dechrau gweld beth oedd gan ei ewythr. Roedd y lle'n llawn, a'r llawnder yn un hwyliog. Ac roedd y bwrdd yn y sedd fawr yn gwegian dan bwysau cynnyrch ffermydd a gerddi'r cwm: llysiau a ffrwythau, coes oen ac ochr o gig moch, blodau, jam, cacenni, menyn. Doedd yno'r un tun na phecyn siop.

Yna edrychodd ar y capel ei hun a deall, am y tro cyntaf, ddylanwad meddylfryd dyn y mynydd arno.

Doedd yna ddim byd rhwysgfawr ynghylch Capel Llywarch, a dim byd yng nghynllun neu gyfarpar y lle y gallai'r mawr a'r ariannog ei werthfawrogi. Roedd y ffenestri wedi eu cwarelu â gwydr plaen, doedd dim lampau na phlaciau pres i'w caboli, dim adnod wedi ei pheintio'n gain ar y wal y tu ôl i'r pulpud, ac yn sicr dim lle chwech o unrhyw fath. Ond roedd arwyddion yno o ymroddiad a fyddai'n anesmwytho aelodau ambell gapel mwy addurnedig. Roedd yn ddi-lwch ac yn ddi-we. Roedd y gwaith pren mewn cyflwr da, y peintio i gyd yn ddiweddar ac er bod y waliau'n lleithio ag anadl y gynulleidfa helaeth, doedd dim ôl difrod dŵr na thamprwydd yn unman. Roedd hyd yn oed y llawr, pren bellach yn lle pridd, yn ddilychwin a'i fyrddau wedi eu sgwrio, a phob darn o faw neu ro a oedd wedi llithro i'w rigolau wedi ei godi oddi yno â chyllell.

Taflodd olwg at lle'r eisteddai Richard Lloyd ym mhen pellaf y sedd yn sgwrsio efo Tomos a Buddug Morris, Cwm Canol, oedd â'u sedd y tu ôl i un Blaencwm. O'r nodio pen a'r chwerthin roedd yn amlwg eu bod wedi taro ar destun wrth eu bodd.

Yn y sedd o'i flaen roedd Miss Davies, Cwmbach. Roedd Miss Davies yno pan ddaeth i mewn ac, ar ôl iddyn nhw gyfarch ei gilydd a rhannu eu newyddion, roedd wedi holi a gafodd drwsio'r twll yn llawr ei char, yr un y gallai ei theithwyr sedd blaen weld y ffordd yn glir drwyddo rhwng eu traed.

"O, fydda i ddim yn poeni am hwnnw," oedd ei hateb siriol. "Mi roddes i lechen drosto."

Y tu ôl iddo roedd Islwyn, mab ieuengaf Cefn Canol, â chlamp o lygad ddu roedd wedi ei derbyn gan ddafad a neidiodd i'w wyneb wrth gael ei symud ganddo.

"Trafferth efo'r merched, Is?"

"Ie 'nde," meddai ei gyfaill gan wenu. "W't ti'n gwbod fel ma'n nhw pan ma'n nhw isio hwrdd."

Fe gâi Is wraig ryw ddiwrnod, ond roedd yn cuddio ei swildod dan y fath orchest bod gofyn i bwy bynnag a fyddai hi fod nid yn unig yn fugeiles go graff, ond yn gymeriad cadarn hefyd, i'w gorlannu a'i gadw o.

Cododd y gweinidog o'r sedd fawr lle roedd wedi bod yn sgwrsio ag Edwart Hughes, a dringo i'r pulpud. Dechreuodd drwy groesawu pawb ac fe'i hatebwyd gan sŵn troi a rhygnu pren a chwffio dillad gorau â seddi caled, ond erbyn iddo orffen roedd y capel yn dawel a than drefn.

Canwyd yr emyn cyntaf ac roedd y canu ychydig yn anystwyth. Ond roedd yn ddigon buan; doedd neb yn ymollwng yn yr emyn cyntaf a neb yn mynd i ymwthio. A beth bynnag, doedd lleisiau pawb ddim wedi cynhesu'n iawn eto. Ond roedd y grymial cyhyrog yn y baswyr a'r cadernid yn yr altos yn awgrymu y byddai digon o rym ynddo'n ddiweddarach, ac y câi'r tenoriaid eu hwyl, a'r sopranos eu cyfle.

Trodd y gweinidog at ei ddarlleniad. Darllenodd o Exodus, am yr Israeliaid yn yr anialwch a Duw'n eu cynnal â manna a soflieir 'nes eu dyfod i gwr gwlad Canaan.' Ar y pryd, feddyliodd Gwyn ddim mwy na'i fod yn cyflwyno testun y bregeth. Ond, er syndod iddo, fe arhosodd craidd y darlleniad ar ei gof, a chafodd ei hun yn pwyso droeon arno yn y blynyddoedd a oedd i ddod.

Ar ôl yr emyn nesaf daeth y weddi. Roedd Erfyl Roberts yn adnabyddus am roi pregeth fer. Haerai nad oedd neb yn dysgu dim ar ôl ugain munud cyntaf unrhyw bregeth, waeth faint mor eneiniog oedd hi. Ac mai wrth weddïo roedd dyn yn dod i gysylltiad gwirioneddol â Duw. Ond roedd ei weddïau'n hir. A'r noson honno, wrth iddo gamu ei ffordd yn bwyllog a diffuant drwy'r hyn roedd ganddo i'w ddweud, a phawb â'u pennau i lawr, clywyd chwyrnu tawel yn codi o sedd Ffowc Lewis, Pant. Doedd hynny ddim yn beth anarferol. A fyddai Erfyl Roberts ddim yn ceryddu Ffowc Lewis. Pan oedd yn weinidog cymharol newydd yn y cwm, flynyddoedd ynghynt, fe gynigiodd Edwart Hughes – o gywilydd yn fwy na dim arall – 'gael gair bach efo Ffowc'. Ond yntau ei hun a dderbyniodd y 'gair bach'.

"Mae Ffowc Lewis yn gweithio'n galed," meddai'r gweinidog. Roedd yn dweud y gwir; fferm o ychydig erwau a mynydd digon llwm oedd y Pant, a bywyd o grafu byw oedd ei ffermio. "Does ganddo'r un wraig, meibion, na thractor i'w helpu, ac os na chaiff o ymollwng yn nhŷ ei Dad, ym mhle arall gaiff o?" Anfonodd Edwart Hughes adre gyda'r geiriau, "Mae mwy nag un wedd i Waredigaeth."

Daeth y weddi i ben ac fe gododd pawb fel petaen nhw'n deffro, wedi eu hadfywio. Cododd Edwart Hughes ar ei draed ac yn ei ffordd dawel, ofalus, cyhoeddodd ddigwyddiadau'r wythnos, ac yna'r casgliad. Siân Dolwen a Rhian Fedw, dau o 'bobl ifanc' y capel, a oedd i hel yr offrwm y noson honno. Roedd Gwyn yn eu cofio nhw'n fras o'i ddwy flynedd a thymor yn ysgol Llangollen ond roedd y ddwy yn iau na Gwyn, ac o'r herwydd doedd o ddim wedi sylwi rhyw lawer arnyn nhw. A rhwng blynyddoedd coleg a gwaith y fferm roedd hynny o gof a oedd ganddo ohonyn nhw wedi pylu'n nesaf peth i ddim. Ond o'u gweld heno fe'u cofiodd, ac fe'i hysgwydwyd gan faint y newid ynddyn nhw.

Roedd y ddwy'n dalach, yn sefyll yn sythach, ac wedi aeddfedu yn eu cyrff a'u hyder. Roedd hynny i'w weld yn eu cerddediad, yn y ffordd roedden nhw'n cyfarch ac yn ymateb ac yn edrych i wyneb y bobl a oedd yn rhoi eu casgliad. Ac roedd yn amlwg eu bod bellach yn dewis eu dillad eu hunain, a oedd yn ffasiynol, ac yn feiddgar o ystyried bod hwn yn gapel Calfinaidd. Denai'r ddwy sylw, a llygad mwy nag un wrth symud ar hyd y rhesi.

Rhian ddaeth i ochr Gwyn y capel. Gwisgai siwmper bolo laslwyd sgleiniog a llyfn, a siaced frethyn ysgafn a dorrwyd i siâp merch. A jîns glas tyn a amlygai grymedd ei chluniau, a pha mor lluniaidd oedd ei choesau. Teimlodd Gwyn ei glustiau'n cochi, a chynnwrf a chynhesu yng ngwaelod ei fol. Roedd Rhian yn hardd. A'i gwallt yn donnau rhydd at ei hysgwyddau, yn frown fel hen dderw. Roedd ei chroen hefyd yn dywyll, o natur dramoraidd bron, a'i genau'n gryfion ac esgyrn boch ei hwyneb yn drawiadol o uchel. Ac roedd ei llygaid yn ddu ddu. A fflach ynddyn nhw.

Daeth i'w gof yr hyn y bu i Anti Enid ddweud wrth dynnu ei goes pan aeth i Fangor gyntaf:

"Unweth y gweli di liw llyg'id y merched del 'na ym Mangor, gown ni weld wedyn faint mor annibynnol wyt ti!"

Ac roedd hi'n iawn. Pan oedd bachgen yn sylwi ar liw llygaid merch, roedd wedi ei rwydo. Ond roedd Gwyn yn ddigon hunanfeddiannol i ddeall pam ei fod wedi sylwi ar liw llygaid Rhian Fedw.

Wrth estyn plât pren y casgliad iddo roedd hi wedi edrych i'w lygaid o.

Gwnaeth ei orau i ganolbwyntio ar y bregeth, a methu. Baglodd dros eiriau'r emyn olaf er gwaethaf cynhaliaeth gyhyrog cynulleidfa yn ei hwyliau. A theimlai'n boenus o amlwg wrth ddilyn pawb allan ar y diwedd. Osgôdd edrych i gyfeiriad y sedd lle bu Rhian yn eistedd rhag ofn i rywun sylwi arno'n gwneud hynny. A'r tu allan fe aeth i sefyll gyda'r dynion hŷn, efo Richard Lloyd a'i gyfoedion. Byddai pawb yn sylwi ei fod yn anghyfforddus, ond fyddai'r dynion hŷn ddim yn ei blagio fel y byddai Is a'r rhai iau. Ac ymysg y dynion hŷn fyddai dim gorfodaeth arno i gyfrannu at y sgwrs. Câi lonydd yno i ystyried beth i'w wneud nesaf.

Sylwodd ar Beryl Ifans, Pentre, yn estyn bocsys o fŵt ei char. Aeth draw ati.

"Ga' i helpu, Musus Ifans?"

"Wel, cato dy galon di, Gwyn. Cei siŵr, mae 'na dipyn o lwyth isio'i bacio." Roedd y bwyd a'r cynnyrch a roddwyd ar gyfer y gwasanaeth i'w rhoi i'r Cheshire Home ac i Ysbyty'r Waun, ac roedd eu pacio mewn bocsys yn ei gwneud yn haws eu cludo yno. "Hwde, cyma di reina. Gown ni fynd â nhw i gyd i mewn ar unweth 'wan, diolch i ti."

Dilynodd Gwyn Beryl Ifans i mewn i'r capel.

"Sbïwch, ferched," meddai hi wrth arwain Gwyn i lawr at y sedd fawr. "Rydw i 'di ca'l gŵr bonheddig i'n helpu ni i bacio a chario. Dech chi'n nabod Gwyn, 'n dydech chi?" A rhag ofn nad oedden nhw, "Gwyn, Blaencwm. Mae'n siŵr eich bod chi 'di colli nabod arno. Wedi bod i ffwrdd yn y coleg, on'd do Gwyn. Ond wedi dod adre erbyn hyn."

Ac felly'r aeth y pacio. Gwyn a Rhian a Siân yn llenwi'r bocsys, yn ofalus o'r cynnyrch ac o'i gilydd, a Beryl Ifans yn cyfeilio i'r gwaith gyda'i sgwrs a'i busnesa diniwed.

Wedi llwytho'r bocsys i'r car a ffarwelio â Beryl Ifans, fe drodd Rhian at Gwyn,

"Wel," meddai. "Den ni'n gwbod pob peth amdanat ti rŵan 'n dyden ni."

Chwarddodd Gwyn a'r ddwy ferch efo fo.

A chymerodd Gwyn yr abwyd a gynigiwyd iddo.

"A lle dech *chi* arni 'ŵan, 'lly?"

Ymhen ychydig funudau roedden nhw wedi cytuno i gyfarfod eto a phan gamodd Gwyn i'r car at Richard Lloyd roedd bron yn crynu o lawenydd ac yn llesmeiriol o hapus. Dringodd i sedd y gyrrwr a thanio'r injan gydag awch.

Gwyn oedd yn gyrru bob tro bellach; gyda Richard Lloyd yn blino mor sydyn y dyddiau yma, roedd yn fodlon i Gwyn wneud mwy a mwy o bethau yn ei le. Ond roedd ei feddwl mor fywiog ag erioed.

"Wel," gofynnodd, "ddysgest ti rwbeth heno?"

Meddyliodd Gwyn am eiliad neu ddwy. "Do," meddai, "ambell i beth." Yna ychwanegodd, "Ond nid be o'n i 'di disgwyl 'i ddysgu!"

"Ie," meddai Richard Lloyd. "Felly weli di, 'machgen i." Roedd wedi gweld Gwyn a'r merched yn siarad, a ddim yn mynd i fusnesa. "Felly weli di."

A throdd ei sylw i'r hyn oedd o'i flaen, i'r ffordd a arweiniai i'r tywyllwch, a thuag adre.

10
Adre adre

Roedd hi'n dywyll. Taflai goleuadau'r car eu llewyrch ar hyd y ffordd gul, ei hwyneb llwyd, a'r gro mân a oroesai chwalu a gwasgu olwynion drwy fyw mewn rhimyn cul ar hyd ei chanol. O'i hochrau fe grymai brigau'r gwrychoedd dros y car yn noeth ac yn aeafol, fel petaen nhw'n ffoi mewn braw rhag y plygwr.

Rhedodd llygoden fach o'r clawdd ac ar draws y ffordd, ei chynffon fer yn stiff fel polyn baner cwch a'i thraed yn troi fel chwisg wyau dan gorff a fynegai dim ond ei fwriad. Arafodd Owain fymryn i wneud yn siŵr y cyrhaeddai glawdd yr ochr arall yn ddiogel.

"Job beryg, lygoden fach," meddai'n dawel a gwenu'n eironig wrth feddwl amdano'i hun yn uniaethu â llygoden a redai o flaen car.

Roedd ar ei ffordd i Flaencwm, a theimlai'n ddieithr. Dim ond cipolwg yma ac acw a gâi o'r cwm yng ngoleuadau'r car, a'r cipolygon hynny'n bell, yn aneglur, ac yn boenus o anghyfarwydd. Roedd yn byw bellach, ers talwm, mewn byd gwahanol i fyd y cwm.

Cofiodd y tro diwethaf iddo fod yma, ar ymarfer efo'r Gatrawd, heb yn wybod i Gwyn a Richard Lloyd, yn rhedeg liw nos ar hyd y grib ar ochr Cader Bronwen y cwm. Wedi cyrraedd y fron o du uchaf Blaencwm roedd wedi aros, ac wedi edrych i lawr ar y ffarm: ar ei hadeiladau cerrig a'u toeau llechi'n sgleinio dan gaboli tringar lleuad haf; ar glydwch taclus ei buarth; ar ffenestr olau'r gegin gefn yr oedd ei drws ymylon crwn yn arwain at y gegin fawr, lle byddai Gwyn a Richard Lloyd yn trafod, neu'n darllen, yn gwneud y cyfrifon, neu efallai'n paratoi i fynd i'w gwelyau. Doedden nhw ond yn fan'na, ddeng, bymtheng munud o lonc o'r grib i lawr y fron a Chae Tan Mynydd. Fyddai neb o'r Gatrawd ddim callach petai'n mynd i'w gweld.

Ond aeth o ddim. Yn ei flaen yr aeth, dros y ddwy Gader a gwlybaniaeth Moel Sych, heibio Llyn y Mynydd, ac i'r lori yn y *rendezvous* uwchben Llanwddyn. Nid teyrngarwch i'w gymheiriaid a'i gyrrodd – doedd y daith hon i'r rhan fwyaf ohonyn nhw'n ddim mwy na dogio diflas rhwng dau bwynt ar fap – ond, yn hytrach, yr ymdeimlad bod bywyd y Gatrawd yn rhy wahanol, yn rhy rymus ei brofiadau iddo allu mynd yn ôl yn ddianaf, hyd yn oed ar ymweliad o ychydig funudau, i fyd Blaencwm.

*

Gyrrodd y car drwy'r giât i'r buarth. Llifodd ei oleuadau ar draws cerrig llwydion waliau'r sgubor, y côr ac yna'r tŷ. Stopiodd a diffoddodd yr injan a phwyso'n ôl yn ei gadair. Gadawodd i'w ben gwympo'n ei ôl yn erbyn yr ateg pen ac ochneidiodd yn dawel – ochenaid diwedd taith, ond nid ochenaid o ryddhad.

Daeth golau'r buarth ymlaen a siâp Gwyn i ddrws y tŷ. Cododd ei law mewn cyfarchiad, a ffrydiai golau'r gegin yn belydrau rhwng ei fysedd a heibio ymylon ei gorff.

Daeth i lawr y buarth a dringodd Owain o'i gar, yn stiff ac yn anghyfforddus. Pwyntiodd at y cerbyd.

"'Di o'n iawn fan hyn?"

Gwenodd Gwyn. "Neith tro."

Roedd eisiau rhoi ei ddwy fraich o gwmpas ei frawd a'i gofleidio, ei ddal yn dynn, i fod yn agos unwaith eto. Ond doedd Owain ddim yn gallu ymollwng. Safai fel Sais, yn pwyso'n ôl, oddi wrth gysylltu.

"Ga' i dy helpu di efo dy fagiau?"

"Fydda i'n iawn, w'est. Dim ond un bag a'n siwt i sy gen i."

A cherddodd y ddau, heb ddweud gair, i fyny'r buarth at y tŷ.

Aethon nhw i'r gegin. A stopiodd Owain mewn syndod.

"Rargien! Fa'ma wyt ti 'di'i roi o."

Yn lle'r gadair freichiau ar ochr chwith y lle tân, ar ben tri threstl, roedd arch Richard Lloyd.

"Pan oedd o yn y tŷ, fa'ma fydde'i le o. Doedd hi ond yn iawn iddo dreulio'i noson ola yma, lle odd o 'di arfer â bod."

Ysgydwodd Owain ei ben. "Ti ŵyr."

Derbyniodd Gwyn yr ergyd yn dawel. "Hwde," meddai. "Rho dy fagie i lawr a ty'd at y bwrdd. Mae gen i lobsgóws a tharten fale i ti fan hyn."

Ymlaciodd Owain fymryn. Gosododd ei fag, a'i siwt drosto, yn ymyl cwpwrdd y sinc ac aeth i'w le ei hun wrth y bwrdd lle'r oedd Gwyn wedi gosod fforc a llwy, a llwy bwdin. Gwyliodd ei frawd wrth iddo godi lletwad o lobsgóws poeth i fowlen *willow pattern* a'i gosod yn ofalus o'i flaen. Gwenodd.

"Mi wyt ti 'di troi'n dipyn o wraig tŷ, dwi'n gweld."

"Y fi ac Yncl Richard," meddai Gwyn. "Ar ôl i Anti

Enid farw." Edrychodd ar Owain. Doedd o ddim wedi dod i angladd Enid Lloyd.

Cododd Owain lwyaid o'r lobsgóws at ei geg a chwythu arni. Roedd yn Rhodesia adeg marw Enid Lloyd ac os na wyddai Gwyn hynny fe wyddai ei fod dramor.

"Oes gen ti baned i mi? Te, os gweli di'n dda."

Rhoddodd Gwyn y tegell i ferwi ac estynnodd y tebot. Ceisiodd ysgafnhau pethau.

"Lle wyt ti arni 'ŵan? Ty'd â chydig o dy hanes."

Roedd hynny'n haws.

"Wel, ar ryw fath o *secondment* dwi ar hyn o bryd."

"Dow, ie? Yn gneud be?"

"Gweithio fel *security consultant* i gwmni o Werddon. Ma'n nhw'n ehangu eu busnes i Gymru a mi dwi 'di bod yn gneud rhywfaint o *research* yma, a gwaith arall hefyd erbyn hyn. Ma gen i fflat yn Nulyn sy'n gyfleus iawn o ran dal y fferi. Ac o ran cael chydig o fywyd hefyd."

"Wyt ti'n dod i Gymru'n aml, 'lly?"

Roedd Owain yn barod am y cwestiwn hwnnw.

"Gweithio ym Mhen Llŷn a lawr i Ddolgelle ydw i fwya. Ambell waith yn y de – dod ar y cwch i *Fishguard*. Mae'n ddrwg gen i ond dydw i ddim yn cael yr amser ganddyn nhw i ddod draw fan hyn." Cododd lwyaid arall o'r lobsgóws. "Ond d'uda, be 'di dy hanes di, a'r ffarm, ac oes 'na sôn am gariad?"

Chwarddodd Gwyn. "Falle. Gawn ni weld. Nes ca' i weithiwr yma ata i, mae gen i ormod ar 'y mhlât efo'r ffarm – rŵan mae..." Doedd dim osgoi'r arch.

Daeth â'i feddwl yn ôl at y sgwrs a cheisio cynnal yr ysgafnder.

"Be amdanat ti?"

Cnodd Owain y darn cig oen yn araf. A'r cwestiwn ei hun yn arafach.

Bu ganddo ambell 'gariad'. Pob un wrth ei bodd yn canlyn dyn ifanc golygus, cryf, a phob un yn synhwyro ynddo'r anallu hwnnw i wrthsefyll ei drin sy'n gwneud dyn yn atyniadol, ac yn gymar addas, i ferch. Ond doedd yr un ohonyn nhw wedi ei eisiau *fo*, y cwbl a'r cyfan o'r hyn roedd *o*, waeth pa mor ystyriol ac ymroddedig roedd o. Doedd eu diddordeb ond yn y pethau hynny a oedd yn cyd-fynd â'u syniad nhw o'r hyn y dylai dyn fod, mewn rhestr siopa o nodweddion dymunol, mewn delwedd. Ac wrth gwrs, yn yr hyn y gallai ei roi iddyn nhw, p'un ai oedd hynny'n amser da, yn foddhad rhywiol, tŷ a phlant...

"Na, neb o ddifri," meddai. Ailgyfeiriodd y sgwrs.

"Fuest ti'n brysur efo'r refferendwm, dwi'n dallt."

"Do, yn eitha."

"Gest di dy siomi?"

"Yn ddiawledig." Estynnodd Gwyn am y bocs te a gwelodd Owain arwyddion o'r hen styfnigrwydd gwyllt yng ngenau hirion ei frawd.

Taflodd Gwyn y cwdyn te i'r tebot. "Bastad cynffonwyr fel George Thomas a Neil Kinnock yn creu bwganod. Ac yn hysio'r cyfryngau ar genedl o ŵyn oedd yn rhy blydi llywaeth i weld y celwydd."

Gadawodd Owain i'r awyrgylch dawelu ychydig. Yna gofynnodd,

"Be wyt ti'n meddwl o'r llosgi tai ha' 'ma sy 'di dechre?"

Ac arhosodd Gwyn ar ganol ei dasg. Am eiliad. Fel

petai'n sydyn wedi sylwi ar rywbeth newydd, dieithr yn yr awyr o'i flaen. Gadawodd y te a throdd at y bwrdd mawr. Pwysodd ymlaen drosto â'i ddwy law'n fflat ar yr oelcloth patrymog oer. Roedd ofn, siom, dicter yn rhedeg ar draws ei gilydd dros ei wyneb, yn ei grychu, ei welwi, ei hagru. Edrychodd yn syth i lygaid ei frawd.

"Wedi dod 'ma fel plismon wyt ti 'nte? Gwas i'r Drefn. Hyd 'n oed heno." Miniodd ei lygaid a phwysodd yn agosach. "Fuaset ti 'di dod i'r angladd o *gwbwl*, 'blaw bod gen t'isio'n holi i?" Edrychodd fel petai'n ceisio cael hyd i rywbeth yn wyneb ei frawd. Rhywbeth y gallai ei adnabod.

"Ai dyna i gyd yden ni i ti bellach? Y fi..." Pwniodd ei fys i gyfeiriad yr arch, "... a fo?"

Edrychodd Owain ar ei lobsgóws. Ar ei lwy a mân olion ei fwyta arni. Roedd y cig yn ei geg wedi troi'n lwmpyn sych. Llyncodd o a rhoi ei lwy i orwedd yn ymyl y bowlen. Yna cododd o'r bwrdd ac aeth at ei fag a'i siwt a'u codi, a throi am y cefn a'r staer i'r llofft.

"Wela i di'n y bore," meddai heb edrych ar ei frawd ac yna, wrth fynd drwy'r drws, "Gad mi w'bod be fydd angen i mi'i neud yn y gladdedigaeth."

Ac aeth.

Yn y llofft, wrth ddadwisgo, fe glywai Gwyn yn y gegin yn symud cadair ac yn eistedd. Clywai wich y gadair wrth iddo bwyso ymlaen a chnoc ddwbl dawel ei ddau benelin ar y bwrdd. Dychmygai o'n eistedd yno a'i ên ar ei ddyrnau yn syllu ar draws y gegin i'r tân. Neu ar arch Richard Lloyd.

Bu yno'n hir. Roedd Owain wedi mynd i'r gwely a

chynhesu erbyn iddo glywed Gwyn yn symud unwaith eto. Clywodd o'n codi o'r bwrdd, ac yn estyn pethau o'r cwpwrdd ac o ddroriau ac o'r oergell. A sŵn torri bara, a berwi'r tegell a thollti. Ac yna sŵn twtio, diffodd y golau a chau drws y gegin. A dringo'r staer.

Daeth ei gamau ar draws y landin ac i lofft Owain.

Roedd Owain ar fin troi i wynebu beth bynnag oedd ar ddod pan glywodd osod rhywbeth yn ofalus ar y cwpwrdd yn ymyl ei wely. Erbyn iddo allu gweld beth oedd yno, roedd Gwyn wedi mynd ac wedi cau drws y llofft yn ddistaw ar ei ôl.

Ar hambwrdd ar y cwpwrdd, yn wyn yn y gwyll, roedd mygaid o de poeth a phlataid o frechdanau cig.

11
A feiddia

Gwyrodd llawr yr hofrennydd. A gwasgodd Owain wadnau ei esgidiau'n dynnach yn erbyn y drws alwminiwm gwyrdd. Ceisiodd, a methu, gafael yn dynnach yn strapiau ei sach *bergen*.

Gwyrodd y llawr unwaith eto.

Pwysai nerth y gwynt fel dwrn ar ochr yr hofrennydd. Pan fyddai'r peilot yn llwyddo i gydbwyso'r golofn lywio, rheolwr y llafnau, pedalau rotor y cynffon, holl rym trwsgl y peiriant yn ei erbyn roedd y dwrn yn tynnu'n ôl, a'r hofrennydd yn llamu i'r gwacter. Ac wrth i'r peilot baffio i gywiro ac ailsefydlu, mi fyddai'r dwrn yn taro. A'r hofrennydd yn simsanu. A stumog Owain yn gwegian.

Ceisiodd beidio â meddwl am y swae yn ei fol a'r ceuled sur a godai i'w geg; hoeliodd ei sylw ar yr eira a'r cenllysg a oedd yn taro ffenestr y drws o'i flaen. Gwyliodd o'n chwalu ac yn casglu yno, yn taro'r ffenestr â mileindra bwriadol cacwn y sathrwyd eu nyth. Roedd yr ymosodiad yn un mud, wedi ei orchfygu gan ddwndwr a chrynu peiriant a llafnau'r hofrennydd. Ond doedd hynny fawr o gysur i Owain.

O bryd i'w gilydd roedd y ffenestr yn clirio a'r cymylau'n agor, a'r tir oddi tanyn nhw'n dod i'r golwg. Ac yn yr eiliadau byr gwibiog hynny fe welai Owain feysydd eira a rhew, llwydwyn a llwm, tonnog a tholciog, yn ymestyn at orwel aneglur pell a oedd yn ei wahanu o a'i ddynion oddi wrth y môr, a diogelwch cymharol y llongau rhyfel. Gwelodd hefyd y *nunataks* duon a frigai drwy'r eira a'r rhew, a synhwyrodd mor arw a di-dor oedd yr oerni a wnâi bethau mor llym o fynyddoedd. Yna caeai'r cymylau unwaith eto a gadael dim ond gwynder diffaith rhyferthwy'r storm.

Ac yna roedden nhw i lawr, yn neidio o'r drysau ac yn llusgo'u slediau i'r rhew. Cododd yr hofrenyddion oddi wrthyn nhw fel gwesynnod ar chwythwm awel haf, a throi, yna gostwng eu trwynau, a diflannu i'r niwl a'r cymylau eira i lawr y cwm llydan gwyllt yn ôl i'r môr. Edrychodd Owain ar weddill y tîm. Hwn oedd yr ail dro iddyn nhw geisio glanio ar Rewlif Fortuna.

Y bwriad oedd sgio oddi yno'n dri chriw, un i wylio hen borthladdoedd morfila Bae Stromness a Husvik, un i weld a oedd modd glanio milwyr ym Mae Fortuna ac un i weld pa mor gryf oedd yr Archentwyr yn harbwr Leith. Fis ynghynt roedd criw o weithwyr sgrap o'r Ariannin wedi dod i Leith i ddymchwel a chludo ei hen adeiladau a'i geriach trin morfilod oddi yno. Roedd Leith, fodd bynnag, ar ynys De Georgia, un o feddiannau Prydain yn ne'r Iwerydd, ac roedd y gweithwyr sgrap wedi glanio yno heb sicrhau'r caniatâd priodol. A phan godon nhw faner yr Ariannin dros y dref roedd yn ddigon i ddechrau rhyfel y Falklands. Cam nesaf yr Ariannin oedd anfon milwyr i warchod y gweithwyr. Cam nesaf Prydain oedd anfon timau *SAS* yno.

Roedd hi'n hanner dydd. Harneisiodd pawb eu hunain i'w sled a dechrau ar draws y rhewlif i gyfeiriad Bae Stromness. Ond roedd y gwynt yn filain. Chwipiai ar draws y rhewlif gan wthio a thynnu'r slediau a chwythu cymylau o eira a oedd mor drwchus fel eu bod yn cuddio pob nodwedd arwyddocaol, a'r tîm yn gorfod dilyn trywydd cwmpawd. Pob ychydig o lathenni roedd yn rhaid profi'r llwybr â pholyn tenau hir i weld a oedd yna grefas yn llechu yno o dan yr eira. Erbyn pump o'r gloch y prynhawn roedden nhw wedi teithio pum can metr – o daith ddeng cilomedr.

Roedd hi'n dechrau tywyllu. Roedd yn rhaid gwersylla, bwyta ac adrodd yn ôl. Heb fod ymhell i ffwrdd roedd yna frigiad o greigiau ac aeth y tîm i'w gil a thynnu'r pebyll oddi ar y slediau. Chwipiwyd y cyntaf o'u dwylo. Hedodd i'r gwyll yn gyrt ac yn ffwdan i gyd, yn clepian fel ysbryd blin yn gwatwar ei ollyngwyr. Codwyd yr ail, a thorrodd y gwynt ei pholion. Roedd yn rhaid i'r dynion y tu mewn gynnal ei hochrau â'u cefnau.

Gwyntoedd Môr Pegwn y De, ar gyfartaledd, ydi'r gwyntoedd cryfaf yn y byd. Does yno ddim rhwystrau, dim o werth i'w llyffetheirio, dim ehangder tir i'w cynhesu a'u hoeri a rhoi tro yn nhrwyn eu cynnydd. Dim, dim ond gwastadedd o fôr du. O'r herwydd maen nhw'n cylchu'r pegwn fel olwyn weili wyllt, yn rym afreolus dan ysgogiad troad y byd. Ac mae ganddyn nhw rwydd hynt i fwrw eu grym fel y mynnon nhw ar yr ychydig wrthrychau diniwed sydd ar eu ffordd, a'u dyrnu – trowynt ar ôl trowynt – fel duwiau'r hen grefyddau, yn orfoleddus ddidrugaredd.

Doedd dim posib gwneud bwyd poeth na chysgu. Pob tri chwarter awr roedd yn rhaid i un o'r dynion adael y babell i glirio'i thu allan rhag i'r eira ei chladdu.

Ymwthiai'r oerni drwy ochrau'r babell a chotiau'r dynion a threiddio i'w mêr.

Roedd eu cyflwr yn dirywio. Roedd yn rhaid ymadael.

Y bore wedyn fe hedodd y tri hofrennydd yn ôl i fyny'r rhewlif at y gwersyll. Roedd y gwynt wedi gostegu'n sylweddol o'r can milltir yr awr, a mwy, y bu iddo'i gyrraedd yn ystod y nos. Ond roedd y tywydd yn wyllt o hyd.

Agosaodd yr hofrennydd cyntaf a pharatoi i lanio. Yn sydyn taflodd y gwynt gwthwm o eira a niwl ar ei draws ac roedd y peilot yn gweld dim; roedd pob gorwel a nodwedd tir wedi diflannu yn y gwynder. Daeth i lawr yn rhy sydyn. Gwelodd wyneb y rhewlif. Tynnodd yn ôl yn galed ar y golofn lywio, ond yn rhy hwyr. Trawodd cynffon yr hofrennydd yr eira. Chwalwyd y rotor ôl, ac o golli grym hwnnw fe ddechreuodd corff yr hofrennydd droi dan bwysau'r rotor mawr.

Ac yna roedd yr hofrennydd ar ei ochr, yn gorff. Crynai a smiciai am eiliad fel morfil modern, moduraidd, newydd ei ladd.

Rhedodd dynion y gwersyll i dynnu'r peilot a'i gyd-beilot ohono.

Ceisiodd yr ail hofrennydd lanio. A llwyddodd. Dringodd dynion y gwersyll a pheilotiaid yr hofrennydd cyntaf iddo a chau'r drysau. Doedd dim lle i'r pwysi o offer a chyfarpar; gadawyd y rheiny ar y rhewlif efo'r hofrennydd cyntaf. Cododd y peilot reolwr y llafnau'n ofalus ac, yn araf deg, fe godd yr hofrennydd o'r llawr.

Aeth popeth yn wyn.

A'i beilot yn gweld dim, yn paffio'r gwynt ac yn agos o hyd at wyneb y rhewlif, fe gwympodd yr ail hofrennydd

– ond y tro hwn heb droi drosodd. Dringodd pawb allan ohono, a disgwyl y trydydd hofrennydd.

Glaniodd. Ac fe lwythwyd, gorlwythwyd o. Dechreuodd godi'n simsan o wyneb y rhewfor. Paffiai'r peilot â'r liferi llywio wrth i'r hofrennydd, fel trychfil mecanyddol afrosgo, godi i'r awyr a throi am y môr. Gwyrodd yn wyllt ac yn ddirybudd dro ar ôl tro dan hyrddiadau'r gwynt. Ac yn yr howld roedd oglau sur chwys oer y rhai a wasgwyd at ei gilydd yno, y twrw, y dirgrynu, a phwysau'r orfodaeth i ildio'n llwyr i allu rhywun arall, yn orchfygol. Edrychodd Owain ar y wynebau gwelw tyn o'i gwmpas. Chwiliodd am arwyddion gwendid, a rhagrybuddion toriad. Daliodd lygad, nodiodd, gwenodd. Mesurodd, a symud ymlaen i'r nesaf.

Dyrnodd yr hofrennydd yn ei flaen ac yn raddol fe ymdawelodd y gwyro gwyllt. Hedodd o gyrraedd gwyntoedd yr ynys a chiliodd y cyfog a oedd wedi codi i gefn gyddfau'r dynion. Doedd dim modd dweud gair oherwydd dwndwr a dirgrynu'r peiriant, ond roedd y tyndra eithafol yn llacio. Yn araf bach fe ddechreuodd meddyliau pawb dreiglo i gyfeiriad prydau poeth a chawod, a chwsg.

Ond ym meddwl pawb roedd yna gwestiwn.

Pam?

Pam gosod tîm o ddynion ar ganol rhewlif yn Ne Georgia yng nghanol y fath dywydd er mwyn teithio deng cilomedr i wneud rhywbeth roedd yn bosibl ei wneud yn well o lefydd eraill agosach?

Y tu ôl i furiau ei ddyletswydd, roedd Owain yn meddwl am y Swyddog *Intelligence* newydd ar y cwch. Doedd Owain heb weld Symonds ers y cyfarfod hwnnw efo Hammond yng Ngogledd Iwerddon, a phan aeth ato i'w gyfarch a'i groesawu fe'i cafodd yn anghyfforddus ac fel petai ddim am gael ei weld yn ei gwmni. Oedd a wnelo fo unrhyw beth â'r hyn a oedd newydd ddigwydd ar Rewlif Fortuna?

Roedd Owain yn sicr o un peth: ei fod yn gwybod pam yr anfonwyd *yntau* yno.

12
Yn ara' deg a phob yn dipyn

Siaradodd Jeff Carrier yn ddistaw ac yn angerddol.

Ers prynu Cwmdiddos roedd wedi syrthio mewn cariad â'r Dyffryn. Allech chi ddim dychmygu cymaint o gysur oedd o i reolwr canolfan hamdden yn Wolverhampton wybod bod lle mor hyfryd iddo gael dianc iddo ar ddiwedd wythnos: lle lle'r oedd dyn yn gallu ymlacio a dod ato'i hun; lle i fod mewn hedd efo'r byd, lle gallai osod ei chwid mewn rhes, a chael ei hun at ei gilydd yn barod am wythnos arall ar y talcen glo.

Roedd Gwyn yn eistedd yn un o'r rhesi cadeiriau tua chanol y neuadd. Synhwyrai ymateb ei gymdogion i eiriau Jeff Carrier: rhyfeddod ac ymfalchïo'r rhai yr oedd eu Byd Mawr mewn papur newydd, bod lle mor ddi-nod a chyffredin â'r Dyffryn yn golygu cymaint i ddyn o bell; dryswch y rhai a gâi drafferth i ymdopi â'r dull siarad a'r delweddau dieithr; a thawelwch astud y rhai mwy profiadol a arhosai i glywed sylwedd yr anerchiad.

Aeth Jeff Carrier yn ei flaen.

Roedd Cwmdiddos, fel y gwyddai pawb, yn edrych allan dros adeiladau a hen chwarel y Granet. Ac un gyda'r nos, wrth eistedd ar y patio yn edrych draw at y chwarel, fe feddyliodd bod yma gyfle iddo roi rhywbeth yn ôl i'r lle a oedd wedi rhoi cymaint iddo fo. Meddyliodd, oni fyddai'n wych gallu troi'r anghenfil hwnnw, craith ar wyneb un o ddyffrynnoedd harddaf yr holl wlad, yn beth defnyddiol a chynhyrchiol unwaith eto, i wneud i ffwrdd â'r llanast a gwneud y lle yn rhywbeth y gallen ni i gyd ymfalchïo ynddo? Roedd Wolverhampton yn llawn o bobl a fyddai'n *talu* i ddod i le fel hyn, i aros ac ymlacio ac ailegnïoli.

Gwingodd Gwyn.

Ar y dechrau, wedi twtio ychydig, byddai modd rhoi ychydig o garafanau yno – a'r cais cynllunio ar gyfer hynny oedd dan sylw heno wrth gwrs. Ond gydag amser, a grantiau – roedd o wedi bod mewn cysylltiad â'r Bwrdd Datblygu oedd â diddordeb mawr – mi fyddai modd troi rhai o'r adeiladau'n westy, a sba efallai, fyddai'n dod ag arian a gwaith newydd – a bri – i'r ardal. Dyna, beth bynnag, oedd ei weledigaeth o ac roedd yn gobeithio y byddai pawb a oedd yma heno, o weld y cynlluniau, yn dod i rannu'r weledigaeth honno o ddyfodol a bywyd newydd i chwarel y Granet.

Eisteddodd Jeff Carrier a chymeradwyodd pawb, yn cynnwys un neilltuol o frwdfrydig nad oedd neb yn ei nabod yn nhu blaen y neuadd.

Edrychodd Gwyn draw at fyrddau arddangos y cynlluniau a oedd wedi eu gosod ar ochr y neuadd o flaen y cypyrddau gwydr o lythyrau a mân eiddo Ceiriog a cherddi Huw Morus. Yna edrychodd i du blaen y neuadd ar y pedwar a eisteddai yno: Jeff Carrier; Ieuan Morris, Cadeirydd y Cyngor Cymuned a chadeirydd heno'n ogystal; swyddog cynllunio'r Sir – dyn bychan crwn, tua'r deugain oed ond yn moeli; ac Edward Jones y Cynghorydd Sir – Edward "Eddie" Jones, *Brit* Plaid Lafur â mwstás bach brith a gwallt Brylcreem Boy. Pleidleisiau Llansilin a diffyg pobl i sefyll yn ei erbyn oedd yn rhoi lle iddo ar y Cyngor Sir. Hynny a thrwyn am gynllwyn manteisiol. Roedd Gwyn yn ei gasáu.

Ar wahoddiad Ieuan Morris, fe gododd Eddie Jones i siarad. Siaradodd yntau hefyd yn Saesneg.

Dywedodd ei fod gant y cant y tu ôl i gynllun Jeff Carrier. Roedd yn enghraifft berffaith o'r hyn a oedd yn gorfod digwydd mewn llefydd fel y Dyffryn a oedd wedi gweld colli eu diwydiannau trwm. Yn wir, fe allai cynllun Jeff Carrier fod yn batrwm ar gyfer llefydd eraill tebyg. Roedd twristiaeth bellach yn rhan annatod o'n heconomi. Roedd yn dod â miliynau o bunnoedd i'r *region* bob blwyddyn ac roedd hwn yn gyfle i'r Dyffryn gael ychydig o'r arian hwnnw iddo'i hun. Ar ôl diolch i Jeff Carrier am ei waith efo'r cynlluniau a'i barodrwydd i'w rhannu efo pobl y Dyffryn fe orffennodd drwy ddweud bod gennym ni ddewis – i nychu a byw am byth yng nghysgod creithiau'r gorffennol ynteu i gefnogi cais Jeff Carrier a bod yn rhan o ddyfodol newydd, disglair, a llewyrchus.

Sylwodd Gwyn fod y swyddog cynllunio wedi peidio â chymryd nodiadau.

Wedi'r gymeradwyaeth fe wahoddwyd cwestiynau o'r llawr.

Gofynnwyd ynglŷn â chost y cynllun, y cam cyntaf efo'r carafanau, a chost y camau tymor hir. Gofynnwyd faint o swyddi – adeiladu a chynnal – y byddai'r cynllun yn eu creu. Gofynnwyd pa mor sicr oedd Mr Carrier o gael yr arian roedd ei angen. A chafwyd atebion i blesio'r cefnogwyr. Cafwyd eiliad neu ddwy anghyffordus pan ofynnodd Dei Pentre ynglŷn â phwy fyddai'n rhedeg y maes carafanau – gyda bod gwaith Mr Carrier yn Wolverhampton – ai rhywun lleol ynteu rhywun o i ffwrdd? Atebwyd o gan Eddie Jones a ddywedodd mai'r person gorau i'r swydd fyddai'n cael y gwaith, waeth o ble roedd o'n dod, a bod angen i Dei fod yn ofalus o'r hyn roedd o'n ei ddweud gan fod awgrym o hiliaeth yn ei gwestiwn.

Cododd Morus Ifans ar ei draed. Edrychodd ar Ieuan Morris.

"Ieu, 'nei di drosi i mi?"

"Gwnaf siŵr." Pwysodd Ieuan Morris yn nes at Jeff Carrier. Roedd y ddau arall yn Gymry Cymraeg.

"Morus Ifans ydi'r enw. Dwi'n byw yng Ngwm y Gyr, fferm rhyw filltir neu ddwy o fan hyn i fyny'r Cwm. 'Dan ni'n deulu reit hapus ar y cyfan er ei bod hi, fel y gwyddoch chi, yn ddigon anodd gwneud bywoliaeth o ffarm fynydd fach y dyddiau 'ma. Rydw i wedi edrych ar gynlluniau *Mister* Carrier ac yn ei gymeradwyo am ei waith. Ond mae 'na un peth yn 'y mhoeni i'n arw – bod gosod carafáns yn chwarel y Granet yn mynd i ddod â mwy o bobl yma.

"Mae hyn yn berthnasol i mi oherwydd bod 'na lwybr cyhoeddus yn dod drwy'n caeau ni i'r Foel, y mynydd y tu ôl i'r ffarm. Mae 'na olygfa dda o'i thop hi a chan nad ydi hi ond ryw awr o dro o ffordd y Cwm, mae o'n lle andros o boblogaidd, a dydi hi ddim yn beth anghyffredin gweld hanner cant a mwy o bobl yno ar ddiwrnod braf.

"Yr Ŵyl Banc ddwetha fe gollon ni chwe oen, eu calonnau wedi'u bostio, wedi eu rhedeg gan gi, neu gŵn. Ac nid dyna'r tro cynta i beth felly ddigwydd i ni. Bues i mewn cysylltiad efo'r Undeb Amaethwyr ac mae'n debyg bod gwahanol ffermydd ardal y Berwyn 'ma, dros yr Ŵyl Banc honno, wedi colli deunaw o ŵyn i gyd.

"Mae gen i arwyddion yn gofyn i bobl gadw eu cŵn ar *lead*. Rydw i'n mynd ac yn gofyn iddyn nhw *roi* eu cŵn ar *lead* – a dyna i chi waith annifyr, coeliwch fi – ac maen nhw'n dal i ddod a'u gollwng nhw. Ma hi'n sobor fel ma hi. Be ydw i i'w neud pan ddaw 'na *fwy* o bobl i'r Dyffryn?"

Arhosodd pawb i Ieuan Morris orffen cyfieithu. Yna fe geisiodd Jeff Carrier roi ateb. Roedd o'n cydymdeimlo'n fawr â Morus Ifans ac unrhyw un arall a oedd wedi dioddef colledion. Roedd yn bwynt oedd yn gofyn ystyriaeth ddifrifol. O'i ran o, fe allai addo y byddai'n gwneud yn siŵr bod pawb a fyddai'n dod i aros ym maes carafanau'r Granet yn cael eu hysbysu o'r *Country Code* a'u cymell i gadw'u cŵn ar dennyn bob amser.

Roedd hwn yn faes y gallai Cynghorydd Sir gynorthwyo gydag o ac roedd Eddie Jones yn awyddus i gyfrannu. Dechreuodd drwy ategu cydymdeimlad Jeff Carrier. Ac yna fe newidiodd cyfeiriad y drafodaeth. Roedd amaethyddiaeth ar ei ffordd i lawr, meddai. Roedd Morus Ifans ei hun wedi cyfeirio at ba mor anodd roedd hi i gadw dau ben llinyn ynghyd. Beth, felly, oedd i'w wneud? Oedd yna unrhyw un yn yr ystafell a allai gynnig ffordd ymlaen, ffordd o ategu – yn lleol – at incwm eu ffermydd?

Roedd y gynulleidfa'n simsanu. Taniodd Eddie Jones ei ergyd.

Onid oedd o'u blaenau nhw, ar ffurf cynllun Jeff Carrier, gyfle gwych i gynyddu incwm y fferm? Swyddi parod, lleol – beth allai fod yn well?

Safodd Gwyn ar ei draed.

"Mistar Cadeirydd." Arhosodd eiliad i Ieuan Morris gymeradwyo'i gais i siarad ac i sicrhau bod ganddo sylw'r gynulleidfa. "Fe hoffwn i gynnig ychydig o sylwadau."

Gwelodd Eddie Jones yn pwyso'n ôl yn ei gadair a dirmyg ac atgasedd yn llenwi ei wyneb.

"Mae'n wir fod yna broblemau yma'n y Dyffryn a bod angen eu datrys nhw, ond dydw i ddim yn credu mai trwy dwristiaeth mae gwneud hynny. Dwi newydd fod yn darllen astudiaeth o effaith twristiaeth ar ardaloedd gwledig yn yr Alban. Mae gen i gopi ohoni fan hyn – *Brownrigg & Grieg 1976*. Mae croeso i chi fwrw golwg drosti."

Nodiodd y swyddog cynllunio.

"Mae'r astudiaeth yn dweud fel hyn:

'Mae'r budd o wariant twristiaid yn fwy ymddangosiadol na gwir – mae yna lawer o sŵn a gweithgaredd ond, ar ddiwedd y dydd, ychydig iawn sydd gan y bobl leol i'w ddangos am eu gwaith.'

"Hefyd:

'O ran swyddi, roedd mwyafrif y swyddi newydd a grëwyd ond yn gofyn am ychydig iawn o hyfforddiant neu sgiliau ac felly'n talu'r lleiafswm cyflog. Heblaw hynny, roedd y swyddi ar y cyfan yn swyddi tymhorol neu i ferched, oedd yn fawr o gymorth i gyflogaeth dynion.'

"Hynny yw, y rhai sydd fel arfer yn ennill cyflog i gynnal teulu.

'Lle'r oedd angen sgiliau penodol, roedd y diwydiant yn troi'n aml at arbenigedd o'r tu allan yn hytrach na hyfforddi pobl leol yn y fan a'r lle.'

"Mae hyn i gyd yn gyson â'n profiad ni o dwristiaeth yn y Dyffryn. Mae 'na westai yma ers cantoedd ac eto dim ond swyddi glanhau, ac ambell swydd gweini ar fwrdd neu weithio tu ôl i far, y bydd y bobl leol yn eu cael. Chafwyd erioed rhywun lleol yn rheolwr ar yr un ohonyn nhw.

"Ac mae 'na bwynt arall economaidd y mae angen ei wneud. Dydi twristiaeth ddim yn creu cyfoeth – dydi o mond yn ei symud o o'r un lle i'r llall. Mae ffermwyr, ar y llaw arall, yn *creu* cyfoeth o'r newydd – ŵyn, lloeau, gwlân ac ati. Mae'r dwristiaeth sydd gennym ni ar hyn o bryd, fel y clywsoch chi gan Morus Ifans, yn amharu ar y creu hwnnw. Mae cynyddu nifer yr ymwelwyr sy'n dod yma yn mynd i wneud hynny'n waeth, ac i ba ddiben? Os awn ni i ddibynnu ar dwristiaeth, fel sydd wedi ei argymell yma heno, mi fydd ein bywydau ni'n ysglyfaeth i hynt a helynt economaidd ardal arall, neu'n waeth, i'w mympwy. Os aiff pethau'n dynn ar Wolverhampton, beth fydd yn digwydd i ni?"

Roedd Eddie Jones yn dechrau cochi. Brysiodd Gwyn yn ei flaen.

"Fe heriodd y Cynghorydd Jones ni i gynnig ffyrdd o wella pethau yma. Ga' i gynnig felly, os oes yna bres gan yr Awdurdod Datblygu i'w roi i dwristiaeth, ei fod o'n cael ei ddefnyddio i greu cronfa fenthyciadau llog isel i bobl ifanc sydd am ddechrau ffarmio, i roi grantiau i fusnesau bach fyddai'n cynhyrchu nwyddau ansawdd uchel y byddai modd eu gwerthu ar bremiwm – jam, caws, iogwrt o gynnyrch y Dyffryn, neu siwmperi, blancedi, carpedi o wlân ein defaid mynydd. Neu i hyfforddi pobl i fod yn arweinwyr mynydd. Ie, i *ni* gael budd o'r defnydd hwnnw o'r mynyddoedd yn hytrach na bod y swyddi'n mynd yn barhaus i bobl o i ffwrdd."

Roedd Eddie Jones bron â bostio. Ond roedd Gwyn ar orffen.

"Nid cael maes carafanau, neu hyd yn oed gwesty yn chwarel y Granet ydi'r ffordd ymlaen i'r dyffryn yma. Sut bynnag ydach chi'n ei wisgo fo, dydi'r cynllun 'ma – 'run fath â'r chwarel ei hun – mond yn wedd newydd ar hen hen gêm. Ie, yr hen gêm honno o ecsbloetio Cymru a buddiannau'i phobl er budd pobl o, wel, mi wyddon ni lle."

Roedd wedi llwyddo i ddweud ei ddweud ac roedd ei galon yn dyrnu.

"Diolch i chi am wrando," meddai ac eistedd.

Yn sŵn y curo dwylo fe glywodd Gwyn bwt yn ei asennau. Trodd ei ben a gweld Dei Pentre'n pwyntio at ei fwndel papurau. Mawredd, yr astudiaeth. Diolchodd Gwyn iddo a'i phasio hi i'r tu blaen.

Tawelodd y gymeradwyaeth. Roedd Eddie Jones am ateb. Roedd yn flin, ac o'r herwydd efallai ddim yn sylwi ei fod yn siarad Cymraeg.

"Dwi'n siomedig iawn fod Gwyn Lloyd yn gweld angen taflu baw at Mr Jeff Carrier ac at gynllun mor addawol. Be ŵyr Gwyn Lloyd am y math o swyddi fydd yn cael eu creu o ganlyniad i'r cynllun yma? O'r ffordd roedd o'n siarad mi fyddai rhywun yn meddwl mai mynd i'r coleg i wneud *Business Studies* neu *Economics* wnaeth o. O be glywais i, *German* ac *Italian* wnaeth o. Dyna i chi pa mor *qualified* ydi o."

Gadawodd i'r sylw fwydo am eiliad. Yna ychwanegodd gyda thinc peryglus yn ei lais:

"Fuo rhai ohonon ni'n paffio rhyfel yn erbyn *Germans*

ac *Italians*. Biti na fase gan Gwyn Lloyd yr un cariad at ei wlad ag sydd gan ei frawd."

Cododd Ieuan Morris ei law at fraich Eddie Jones i'w rwystro a'i dawelu. Ond doedd o ddim wedi gorffen a gwthiodd law Ieuan Morris i ffwrdd.

"Ac o ran datblygu busnesau bach – pŵ! Am ffars. Propaganda *Welsh Nash*. Neu *waeth* – o ddarllen rhwng llinellau diwedd y *speech* yna."

Edrychodd yn syth at Gwyn a gwenu'n sur.

"Oes gen ti fatsys yn dy boced, Gwyn?"

Roedd y neuadd yn dawel. Ond roedd tyndra a theimlad a dicter yn drwch yno.

Cododd Gwyn ac edrych yn syth at Eddie Jones. Edrychodd hwnnw i ffwrdd. A cherddodd Gwyn allan.

Wedi i ddrws y cyntedd gau y tu ôl i Gwyn roedd ar ei ben ei hun, ac fe arhosodd. Caeodd ei lygaid a gollwng ochenaid hir o ryddhad.

Pan agorodd ei lygaid fe gododd ei ben. Ac, wrth gamu at y drws allan, dechreuodd wenu.

Roedd wedi ennill.

13
Yn y pen draw

Roedd hi'n ddiwrnod trosglwyddo – symud milwyr o'r *Hermes* i'r cychod cyrchu ar gyfer y prif ymosodiad ar y Falklands. Penliniai'r milwyr yn griwiau ar y dec yn barod i fynd i'w hofrenyddion ac yno, efo'i dîm, roedd Owain. Wrth edrych ar y cefnau crwm gwyrddion o'i gwmpas fe'i hatgoffwyd o'r twmpathau hesg a migwyn a dyfai ar dir gwlyb Blaencwm. Ond yma ar gwch rhyfel roedd o, a wyneb y dec dur yn rhincian fel gro mân yn erbyn ei ben-glin, oerni'r gwynt a ddeuai o'r môr a symudiad y cwch yn chwipio drosto, a metal y reiffl a ddaliai â'i garn i'r llawr o'i flaen yn sugno'r gwres o'i law.

Roedd symud i'r *Intrepid* yn rhan o'r drefn, fel symud defaid ar fferm. Ond heddiw, oherwydd yr achlysur, heb fod yn hollol felly chwaith. Roedd pryder am fethu â gwneud eu rhan yn drwch ymhlith y morwyr a'r *Marines*, ac wedi ei ddwysáu gan densiwn yr holl ddisgwyl. I Owain a'i dîm, oedd wedi bod yn Ne Georgia, ac wythnos yn ôl wedi dinistrio awyrennau Pebble Island, roedd y ffrwst ychydig yn gomig.

Simsanodd yr hofrennydd uwchben y dec ac yna'n araf bach, yn beiriant i gyd, fe ddaeth i lawr. Cyffyrddodd y teiars unwaith, unwaith eto, ac yna, fel sment yn llithro o raw, roedd ar y dec. Rhedodd Owain a'i dîm ato'n plygu dan bwysau eu paciau a'u gynnau, a tharo a thwrw'r gwynt o'r llafnau, a dringo i mewn. Roedd dirgrynu'n rhan barhaus o fywyd milwr ar y môr, ond lle'r oedd dirgrynu'r *Hermes* yn furmur pell a allai fod yn gysur ar adegau, roedd y dirgrynu mewn hofrennydd yn fath o ysgwyd roedd dyn yn teimlo'i fod prin dan reolaeth. Doedd Owain erioed wedi ymgyfarwyddo'n llwyr ag o.

Caeodd Owain y drws a disgwyl i'r hofrennydd godi. Rhan waetha'r codi oedd y llathen gyntaf wrth i'r peilot addasu osgo'r hofrennydd. Roedd yna bob amser ryw wegian ansicr wrth symud o gadernid ongl y dec i gydbwysedd yn yr awyr – ac achosai frathiad ym mol Owain bob tro. Dim ond pan fyddai'r hofrennydd yn glir o'r dec, y peilot wedi agor ongl y llafnau a'r peiriannau'n tynnu'n gryf i gyfeiriad pendant y byddai Owain yn gweld adfer rhywfaint ar ei hyder, a'i ymysgaroedd yn dofi.

Trodd yr hofrennydd oddi wrth yr *Hermes* a gwyliodd Owain ei onglau a'i wastadeddau llwydion yn pellhau ac yn mynd o'r golwg y tu ôl iddyn nhw. Setlodd i dreulio gweddill y siwrnai yn nhawelwch ei feddyliau ei hun.

Bang.

Pan mae rhywbeth annisgwyl yn digwydd mae'n cymryd eiliad neu ddwy i feddwl dyn ddod oddi ar y trywydd roedd yn ei rag-weld ac i ddeall yr hyn sy'n digwydd. Erbyn i feddyliau Owain a'r milwyr eraill wneud hynny roedd yr hofrennydd ar lwybr pen coelbren i'r môr.

Roedd y distawrwydd ar ôl dwndwr yr injan yn annaearol. Doedd dim i'w glywed ond rhuthr yr awyr heibio i gorff yr hofrennydd a rhywle, ymhell i ffwrdd, llais y peilot yn galw *mayday*. Gafaelodd y dynion yn dynn yn ymylon eu seddi, eu hwynebau mor llwyd ag yr oedd eu migyrnau'n wyn. Cwympai'r hofrennydd wysg ei drwyn, yn serthach ac yn serthach nes ei fod yn plymio'n syth ar i lawr.

Estynnodd Owain at handlen y drws a'i thynnu. Chwipiwyd y panel metal ar agor a thrawyd tu mewn y caban a'r dynion gan hyrddiad llif y gwynt. Ciciodd Owain y sachau *bergen*, a'r arfau a oedd wedi disgyn ar bennau ei gilydd i flaen y caban allan drwy'r drws a neidio ar eu holau. Dilynodd y lleill ar ei ôl.

Trawodd y dŵr â'i draed yn gyntaf a bu bron i fraw'r trawiad a'r oerni wagu ei ysgyfaint. Aeth o dan y wyneb, a chafodd ei hyrddio gan don trawiad yr hofrennydd ar wyneb y môr. Clywodd freichiau trwm y rotor yn byrlymu heibio iddo, ar i lawr.

Gollyngodd wynt o'i geg ychydig ar y tro a dechrau tynnu gyda'i freichiau am y goleuni uwch ei ben. Roedd yr oerni'n iasol.

Ond roedd rhywbeth yn ei rwystro, yn ei dynnu i lawr. Roedd harnais rhywbeth, gwn peiriant yn ôl ei bwysau, wedi clymu ei hun o gwmpas ei ffêr. Ciciodd ei goesau i geisio'i ysgwyd i ffwrdd ond roedd yr harnais, a phwysau'r gwn, yn gwrthod ei ollwng. Plygodd i'w ryddhau â'i ddwylo. Brwydrodd ei fysedd ag ymylon tyn y strap, a llithro yn y gwlybaniaeth fferllyd dros y neilon slic di-ildio. Ble roedd ei gyllell? Gwingodd yn ôl ac ymlaen fel pysgodyn ar fachyn gan ymestyn ar i fyny ac yna'n ôl i lawr at ei ffêr. Gwthiai'r boen yn ei ben fel gwaedd yn erbyn asgwrn ei benglog ac roedd ei ysgyfaint yng ngafael dwrn haearn tyn.

Aeth ei frwydro'n fwy ac yn fwy gwyllt. A'r ofn yn ei fynwes yn anoddach i'w reoli.

A'r dŵr a lapiai o'i gwmpas yn oerach.

Ac yn dduach...

14
Arch

"*Bundesgasse dreizig*," meddai'r gyrrwr a chyhoeddi pris y daith.

Talodd Gwyn iddo a dringo allan. Suodd y tacsi i ffwrdd a chafodd Gwyn ei hun o flaen un o adeiladau hŷn y ddinas – adeilad carreg wedi ei blastro'n llyfn, gyda phedwar llawr o ffenestri Napoleonaidd rhwng ei seler a'i do tŷ bach twt, a balconi carreg yn ymestyn o'i lawr cyntaf. Mi fyddai'n debyg iawn i bob un adeilad arall yn y stryd, oni bai am y rhwyllau haearn dros ffenestri'r llawr isaf a'r seler.

Estynnodd Gwyn i'w boced a thynnu cerdyn post ohoni. Darllenodd neges y cerdyn unwaith eto:

Bundesgasse 30
3011 Bern
Y Swistir

Haia Gwyn,
Tyrd acw rywdro.
Owain

Roedd hi ychydig dros ddeng mlynedd ers iddo dderbyn y telegram yn ei hysbysu o farwolaeth *Sergeant* John Owain Lloyd. Ac ers ymweliad y Captain Symonds hwnnw a ddaeth i Flaencwm i ddychwelyd manion eiddo Owain a chydymdeimlo â Gwyn drwy ei holi. Ond roedd y cerdyn post wedi ei bostio cwta fis yn ôl. Ac roedd y neges, roedd Gwyn yn sicr, wedi ei hysgrifennu gan Owain. Tynnodd Gwyn anadl ddofn a chamu tuag at yr adeilad.

Roedd plât pres ar y wal wrth y drws.

Bank Ernst Brändli & Co AG

Banc? Aeth Gwyn i fyny'r saith gris carreg a ddringai drwy drwch y wal ac i mewn.

Wrth ddesg y tu mewn roedd gwraig mewn siwt lwyd a sbectol â'i gwallt wedi ei glymu ar gefn ei phen. Edrychodd i fyny o'i swp papurau.

Mentrodd Gwyn, a chyflwyno'i gais.

"*Ich suche bitte Herr* John Owain Lloyd."

Edrychodd y wraig yn amheus arno ac yna gofyn, "*Wer bitte?*"

"*Herr* John Owain Lloyd," meddai Gwyn gan ynganu a phwysleisio'n ofalus. Teimlai fod ei eiriau'n bethau amddifad, yn crynu yn yr awyr o'i flaen ag ofn cyrraedd eu nod, a chlywodd ddechrau crino ei egin hyder.

Edrychodd y wraig arno'n ofalus am eiliad neu ddwy ac yna meddai hi, "*Ein Moment, bitte.*" Cododd a mynd at ddrws yng nghefn yr ystafell. Sylwodd Gwyn fod ffôn intercom ar y ddesg.

Edrychodd Gwyn ar y drws yn cau ar ei hôl. Ac yna ar y rhwyllau ar ochr allan y ffenestri, ar gloeon y drws allan, ac ar ba mor bell oedd y pafin. Llyncodd a dweud wrtho'i hun nad oedd wedi dod cyn belled â hyn i redeg i ffwrdd – waeth beth a ddôi o ochr draw'r drws yng nghefn yr ystafell.

O'r diwedd daeth y wraig yn ei hôl, a dyn efo hi, dyn

lluniaidd moel mewn siwt dda dywyll a sbectol lensys crwn. Daeth draw at Gwyn a chynnig ei law iddo.

"Julius Brändli. *Angenehm.*"

Yna gofynnodd beth y gallai ei wneud i'w helpu. Rhoddodd Gwyn y cerdyn post iddo ac esbonio'r hanes. Cymerodd Julius Brändli'r cerdyn ac edrych ar y llun. Fe'i trodd drosodd a sganio'r ysgrifen ar y cefn. Yna edrychodd i fyny.

"Sut mae?" gofynnodd.

Bu bron i Gwyn dagu.

"Iawn, diolch," meddai fo'n cecian. "Ydech chi'n siarad Cymraeg?"

Ymddiheurodd Julius Brändli nad oedd yn deall yr hyn roedd Gwyn wedi ei ofyn, ond bod *Herr* Owain Lloyd wedi trefnu iddo gyfarch felly'r un a ddôi â'r cerdyn post. Roedd yn ffordd anarferol, ond diddorol, o wirio mai Gwyn oedd hwnnw. Mi fyddai angen un neu ddau o bethau eraill hefyd, wrth gwrs, i wneud yn hollol siŵr. Aeth â Gwyn drwy'r drws yn y cefn ac ar hyd coridor byr caeedig. Cerddai'n fân ac yn fuan a synhwyrodd Gwyn bod ystrywiau Owain yn ddifyr gan y banciwr, a bod hwnnw – yn ddistaw bach, dan y wyneb – wrth ei fodd.

Aeth â Gwyn i ystafell blaen lwyd gyda bwrdd yn ei chanol a chadeiriau caled y tu ôl a'r tu blaen iddi. Cynigiodd gadair i Gwyn ac eisteddodd ei hun, yr ochr arall i'r bwrdd.

Gofynnodd i Gwyn am ddogfennau adnabod a chael ganddo ei basbort a'i waled. Gosododd y rhain o'i flaen a thynnodd bapur wedi ei blygu o boced tu mewn ei siaced. Agorodd y papur a'i osod ar y bwrdd. Gwelodd Gwyn restr ar y papur, rhestr o'i nodweddion o, a'u bod wedi eu nodi yn llawysgrifen Owain. Aeth llygaid Julius Brändli yn ôl ac ymlaen oddi wrth Gwyn at y rhestr a thudalen fanylion Gwyn yn y pasbort. Yna fe edrychodd drwy'r waled, ar y manylion adnabod, ar y cardiau aelodaeth, ac ar y llun a dynnodd Enid Lloyd o Gwyn ac Owain yn golchi defaid y flwyddyn yr aeth Owain i'r fyddin.

Diolchodd i Gwyn gyda nòd cwrtais a rhoddodd y pasbort a'r waled yn ôl iddo.

Yna gofynnodd: o ba goeden y neidiodd Owain pan frifodd ei hun wrth chwarae milwyr ar ddiwrnod y *Fête?*

A dyna ysgwyd Gwyn unwaith eto. Doedd o ddim wedi dweud wrth neb, ddim wrth y doctor nac wrth Enid na Richard Lloyd hyd yn oed, fod Owain wedi neidio o'r griafolen i'r graig. Ar y pryd roedd anferthedd y sefyllfa, a'i ofn ynglŷn â'r hyn a allai ddigwydd wedi bod yn ormod iddo. Ac wedyn, wedi i Owain ddod ato'i hun, roedd rhyddhad hwnnw wedi iddo ddeall nad oedd Gwyn 'wedi dweud' yn ddigon; bu i Gwyn roi taw ar ei gydwybod a gadael i bethau pwysig eraill hawlio'i sylw.

Aeth y gyfrinach i gefn ei feddwl, ac ymhen amser i lyfr lloffion ei gof. Tan heddiw. Mewn ystafell fach lwyd yn un o fanciau Bern.

Ac unwaith eto fe roddwyd Gwyn mewn cyfyng-gyngor. Fe wyddai'r ateb yn iawn, ond beth oedd y gair Almaeneg am griafolen? Rhusiodd ei feddwl drwy restrau a chorneli ei eirfa. Gwelodd fod Julius Brändli yn ei wylio'n ofalus, ac yn synhwyro na wyddai Gwyn mo'r ateb. Dechreuodd Gwyn ymddiheuro; ceisiodd esbonio mai 'criafolen' oedd y gair Cymraeg am y goeden ond...

"Criafolen," meddai Julius Brändli. *"Jawohl!"* Roedd Owain wedi dysgu 'criafolen' iddo hefyd!

Ychwanegodd Julius Brändli, *"Und das ist alles."* Roedd y cwestiynu ar ben.

Cododd Julius Brändli ar ei draed ac esgusodi ei hun. Aeth allan gan gau'r drws ar ei ôl.

Beth nesaf?

Edrychodd Gwyn o gwmpas yr ystafell. Edrychodd ar y waliau llwyd moel, ar wyneb y bwrdd ac adlewyrchiad y golau yn ei sglein llyfn caboledig. Ac ar adlewyrchiad ei wyneb ynddo. Neu yn hytrach fersiwn ystumiedig, gwyrgam o'i wyneb. Ai y fo oedd hwnna? A'r llygaid a'r croen yn gweithio ac yn crychu fel yna? Ai dyna a wnâi gobaith i ddyn? Ynteu canlyniad ofn oedd hwn o'r hyn a allai fod?

Edrychodd i fyny, ac o'i gwmpas. Ac fe'i siomwyd. Doedd yna ddim yn yr ystafell i ddal sylw dyn. Oni bai ei fod yn ymddiddori mewn cywirdeb.

Cododd ei ddwylo o'i lin a'u gosod ar y bwrdd o'i flaen. A sylwodd ar eu siâp, ar eu crymedd gwaith, ar eu caledwch. Edrychodd ar batrwm hynt ei ffawd yn y rhychau trin a'r holltau yng nghroen trwchus eu cledrau, ac am funud neu ddau roedd ei feddyliau'n bell ac yn fyfyriol. Yna trodd nhw drosodd. A sylwodd mor ifanc yr olwg oedd meddalwch y cefnau a'u manflew annisgybledig.

Agorwyd y drws.

A thrwyddo daeth Julius Brändli. Yn ei ddwylo roedd ganddo flwch hirsgwar metal. Gosododd o ar y ddesg.

Blwch cadw'n-ddiogel Owain.

Edrychodd Gwyn ar Julius Brändli, cystal â gofyn, 'Ai dyna'r cwbl?'

A gwelodd y cydymdeimlad yn wyneb y Swisiad. *"Nichts anderes,"* meddai Julius Brändli.

Dim byd arall.

Ymesgusododd Julius Brändli a mynd o'r ystafell. A gadael Gwyn efo'r blwch.

*

Bu Gwyn yn edrych am yn hir ar y crair llwyd annheilwng.

Dyrnai'r teimlad trwyddo. Y siom. Yr unigrwydd. Y dicter. Yr hiraeth.

Doedd dim byd arall.

Dim.

Ond y blwch...

Tynnodd anadl ddofn. A'i gollwng hi. A sgwario.

Roedd yn rhaid ymwroli.

Agorodd y blwch.

Ynddo roedd dwy amlen, un wen fach wedi ei chyfeirio ato fo ac un frown fawr a chyfeiriad Bern arni. Roedd nifer o stribedi plastig o *Krugerrands* ynddo hefyd. Cododd un o'r stribedi. Doedd o erioed wedi gweld aur pur o'r blaen. Tynnodd un o'r *Krugerrands* o'i stribed a'i fodio. Roedd yn llyfn ac yn rhyfeddol o drwm.

Rhoddodd o'n ôl a throi at yr amlenni.

Cododd yr amlen wen oedd wedi ei chyfeirio ato fo ac agorodd hi. Tynnodd lythyr ohoni, llythyr wedi ei ysgrifennu â llaw anghelfydd, ond sicr, Owain. Dechreuodd ei ddarllen.

Annwyl Gwyn,

Mae hwn yn lythyr rydw i'n gobeithio na fydd rhaid i ti fyth mo'i ddarllen. Ond mi rydw i'n ei ysgrifennu o, ac yn ei roi o efo'r amlen frown mewn safety deposit box yn Bern, oherwydd fy mod i'n amau bod y naill neu'r llall o'r pethau rydw i wedi bod yn eu gwneud yn mynd i ddal i fyny efo fi. Os byddi di rywdro'n gorfod darllen hwn rydw i'n ymddiheuro am dy lusgo di mor bell i'w gael o, a hynny ar ôl cymaint o amser. Ond wedi dweud hynny rydw i'n siŵr, ar ôl i ti weld beth sydd gen i a dallt pwy arall fase â diddordeb ynddo, y bydd y rhesymau am orfodi hyn arnat ti yn amlwg.

Mi wyt ti'n gwybod mod i yn yr SAS. Ond go brin y byddi di'n gwybod hyd a lled fy ngwaith i yno, yn arbennig pan nad oes yna ryfel go iawn ar fynd. Ar adegau felly mae llawer iawn o be dan ni'n ei wneud yn waith anti-insurgency, hynny ydi'n fras, hitio ac, os posib, chwalu grwpiau terrorist sy'n trio newid trefn neu lywodraeth rhyw wlad neu'i gilydd. I ti ddallt, dyna fues i'n gwneud yn Rhodesia adeg marw Anti Enid, ac yn ddiweddarach yng Ngogledd Iwerddon, yn erbyn yr IRA.

Fel anti-insurgency unit rydan ni'n gweithio i bob pwrpas fel dwylo a breichiau i'r Secret Security Services, Intelligence ac ati. Ni ydi'r 'muscle' milwrol sy'n ei gwneud hi'n bosib iddyn nhw wneud eu gwaith a chyrraedd y political aims. Yr aim yng Ngogledd Iwerddon oedd cadw'r lle'n rhan o'r UK. Mi fyddai rhywun diniwed yn meddwl efallai mai cael heddwch yno fuasai fo, ond fel y dywedais i, rhywun diniwed fyddai'n meddwl hynny. Sut bynnag, oherwydd natur cyfrinachol y gwaith, p'un ai'n targedu unedau ac unigolion yn y Provos neu'n cefnogi a chyfeirio (ac weithiau'n helpu creu) yr organisations lleol oedd yn rhannu'r un nod â ni - yr UDA, UVF ac ati - doedd hi ddim yn hir cyn i mi ddod i gysylltiad efo'r peth arall hwnnw oedd yn rhan o scene undercover Gogledd Iwerddon: y plot i newid llywodraeth yr UK.

Mi wyt ti'n cofio fel mae hi wedi bod y blynyddoedd dwytha yma - yn edrych fel bod yr UK yn mynd i fod yn wlad socialist am byth a hyd yn oed y Tories dan Edward Heath yn edrych yn binc, ac fel oedd hi'n edrych fel tase'r wlad yn mynd â'i phen iddi - inflation yn 25%, gorfod benthyg pres gan yr International Monetary Fund, streiciau byth a beunydd, y three day week, ac ati. Ac mi wyt ti'n cofio mae'n siŵr fel byddai pobl yn sôn bod angen llywodraeth 'gref' ar y wlad i sortio pethau allan, yn arbennig yr unions. Wel nid dim ond papurau newydd a hen ddynion mewn pubs oedd yn meddwl hynny. Roedd yna rai o fewn establishment Prydain oedd yn fodlon defnyddio unrhyw ffordd bosib i gael llywodraeth o'r fath, hynny ydi, yn eu meddyliau nhw, llywodraeth right wing go iawn. Gydag ethol llywodraeth Margaret Thatcher mae o'n edrych fel eu bod nhw wedi cael eu ffordd, i raddau. Ond maen nhw isio mwy, ac mae'r campaign yn dal mewn bod.

Sut ddois i'n rhan o'r peth? Wel, gyda bod o leia un rhan o'r campaign, y plannu sibrydion yn y press am wahanol politicians (er enghraifft hwnnw am y Prif Weinidog, Harold Wilson, yn deud ei fod o'n agent i'r Soviet Union), yn cael ei redeg drwy Secret Security Services Gogledd Iwerddon, y bobl oeddwn i'n gweithio iddyn nhw, roedd pobl y plot yn gwybod amdana' i. Yna, aeth yna hit roeddwn i'n rhan ohono'n rong - neu o leia dyna roeddwn i'n ei feddwl ar y pryd - ac roeddwn i'n mynd i gael fy nhaflu allan o'r SAS. Roedd yna beryg hefyd y buaswn i'n cael fy hun ar hit-list y Provos. Beth bynnag, fe gynigiodd y giang yma ffordd allan, neu o leia o gwmpas, 'y broblem' i mi. A'r canlyniad oedd i mi fynd i gyfarfod un o'u gweision bach nhw yn Llundain, boi o'r enw Longshaw, a chytuno i weithio iddyn nhw.

Roeddwn i'n gwybod bod yr hyn roeddwn i'n ei wneud yn rong a doeddwn i ddim yn hapus ynglŷn â'r peth. Roeddwn i'n mynd i weithio i bobl oedd yn trio disodli'r llywodraeth yn yr un ffordd â'r rhai roeddwn i fod yn eu paffio. Hynny ydi, roeddwn i fy hun bellach yn insurgent. Roedd y peth yn treason.

Ar ben pob peth, roeddwn i wedi mynd i amau'r hyn roeddwn i'n ei wneud fel milwr. Byth ers i mi fod yn siarad efo Bushman yn Rhodesia roeddwn i'n gweld bod y drefn o bobl fawr a bobl fach yn un afiach, ddinistriol – yn dinistrio pobl, yn dinistrio cymdeithas, yn dinistrio'r byd yn y pen draw – a'r cyfan er mwyn rhyw gêm o 'gael be dwi isio'. Mae'r bobl fawr yn rhedeg y byd i'w siwtio nhw'u hunain, a'r bobl fach naill ai'n ddefnyddiol, neu'n rhwystr. Waeth faint y byddi di'n chwifio fflag y bobl fawr, fyddi di byth yn un ohonyn nhw. Mi ddalltest ti hynny yn Ysgol Dre. Dim ond rŵan, a hithau'n rhy hwyr, y dalltes i, ac mai un o'r bobl fach oeddwn i.

Doedd dim posib dianc o'r twll roeddwn i ynddo, ond roedd posib gwneud iawn – am yr hyn roeddwn i wedi ei wneud, a'r hyn roeddwn i ar fin ei wneud. Ac felly mi es i ati i hel information am y budreddi yng Ngogledd Iwerddon ac am 'weithgareddau' fy mosys newydd. Yr information hwnnw sydd yn yr amlen frown. Os ydi o'n dal o ryw werth erbyn i ti ei weld o, a thithe'n fodlon, postia fo.

I ti ddallt, dyma roeddwn i'n arwain i fyny at ei ddweud wrthat ti y noson cyn claddedigaeth Yncl Richard. Aeth hi'n flêr rhyngon ni'r noson honno, rydw i'n gwybod, ond erbyn hyn rydw i'n meddwl ei bod hi'n well 'mod i heb ddweud dim.

Ond ti oedd yn iawn Gwyn, o'r dechrau ac ar hyd y ffordd. A minnau'n blydi ffŵl.

Mae'r Krugerrands i ti. Does dim rhaid i ti boeni, maen nhw'n legitimate. Fy nghynilion i ydyn nhw, wedi eu troi'n aur er mwyn cadw eu gwerth. A does dim rhaid i ti boeni am Julius Brändli, mae ei ffi o wedi ei thalu.

Os byddi di'n darllen hwn rywdro, meddylia amdana i. A chymer ofal.

Dy frawd,

Owain.

Doedd dim arwydd o deimlad ar wyneb Gwyn, ond roedd yn welw, a'i lygaid yn fawr. Darllenodd y llythyr unwaith eto. Ac yn raddol fe arafodd rhuthr ei feddyliau, a dechreuodd allu dygymod ag oblygiadau'r hyn oedd ganddo yn ei law. Tynnodd anadl ddofn, a'i gollwng. Ac yn y gollwng roedd rhywbeth yn debyg i ochenaid. Cyfeiriodd ei lygaid at dri gair olaf y llythyr a ffurfiodd ei wefusau i'w siâp. A dywedodd nhw'n uchel. Roedd eu sŵn yn dda.

Aeth rhai eiliadau heibio. Yna rhoddodd y llythyr yn ôl yn yr amlen wen a'i gosod yn ofalus ar un ochr. Estynnodd at yr amlen frown, oedd heb ei selio, a thynnu bwndel o bapurau ohoni. Rhoddodd yr amlen ar y bwrdd ac agor y bwndel. Aeth drwyddo'n fras, a chael ynddo gofnod o ddigwyddiadau, tebyg i ddyddiadur. A ffotograffau, o ddogfennau cyfrinachol ac o bobl. Ac, i gyd-fynd â ffotograffau'r bobl, restr o enwau.

Dechreuodd ddarllen.

A chael hanes y 'Tîm' yng Ngogledd Iwerddon.

A'u rhan yn y trais yno. Ac yn y cynllwyn i danseilio trefn Prydain.

Darllenodd am gysylltiad Owain â nhw.

Ac am ei waith yn ehangu eu hymgyrch i Gymru.

Darllenodd ac ailddarllenodd y cofnod, y dogfennau, yr enwau. Nes bod eu manylion wedi eu serio ar ei gof.

Aeth dros awr heibio cyn iddo gau'r bwndel a'i roi yn ôl yn yr amlen frown. Roedd lwmpyn yn ei fol a hwnnw'n galed, a'r blas ceiniogau yn ei geg yn codi'r dincod arno. Edrychodd ar yr amlen frown.

A ddylai ei hanfon hi? Ar ôl cymaint o amser? A oedd *o* eisiau camu i'r byd *hwnnw*? Ystyriodd.

Yna cododd yr amlen i'w geg, llyfu'r glud ar y fflap cau a phlygu'r fflap i'w le. Roedd y rhain yn bobl a oedd wedi defnyddio Owain. Ei gamddefnyddio. Ac yna wedi ei ladd. Gosododd yr amlen yn fflat ar y bwrdd a'i chau hi'n dynn.

Efo'i ddwrn.

Yna sythodd. Rhoddodd yr amlen wen yn ei boced a galwodd ar Julius Brändli. Pan ddaeth hwnnw, fe roddodd y blwch gwag yn ôl iddo a threfnu trosglwyddo gwerth y *Krugerrands* i'w gyfrif ym manc y Glyn. Ac wedi diolch i'r Swisiad am ei garedigrwydd a'i drafferth fe ddechreuodd am y drws.

Yna arhosodd. Trodd yn ôl at Julius Brändli, a oedd yn edrych yn ymholgar arno.

Cododd yr amlen frown a phwyntio at y cyfeiriad ar ei blaen.

"*Wo ist das?*"

Darllenodd Julius Brändli y geiriau a thursio'i wefusau.

"*Das ist der Wohnort der Amerikanische Botschafter,*" meddai. Cartref swyddogol Llysgennad yr Unol Daleithiau.

Diolchodd Gwyn iddo unwaith eto, a mynd.

*

Awr yn ddiweddarach roedd wedi postio'r amlen a chael hyd i Rhian yn lle picnic y sw. Ganddi hi roedd y pecyn bwyd o'r gwesty. Roedd ganddi Ice Tea hefyd ac roedd Gwyn yn falch ohono i dorri ei syched a'i godi o'i ludded. Wrth yfed, a bwyta ei frechdanau, fe wrandawodd ar Rhian yn siarad. Gwyliodd ei llygaid a'i gwên wrth iddi dynnu ei sylw, a dotio, at y plant bach a chwaraeai o gwmpas eu rhieni ar y glaswellt ac o dan y coed.

"Mae'n ddrwg gen i d'adael di dy hun y bore 'ma," meddai Gwyn.

Chwarddodd Rhian. "Mi fydd, pan weli di faint o dy bres di dwi 'di'i wario."

Roedd Gwyn yn hoffi hynny amdani – yr hwyl ddi-lol. Rhoddodd ei fraich o gwmpas ei hysgwydd a'i thynnu ato. Pwysodd hithau i mewn i'w gesail a'i gusanu ar ei foch.

Holodd hi ddim ynglŷn â'r hyn y bu Gwyn yn ei wneud drwy'r bore. Roedd yn amlwg yn fater o bwys anghyffredin iddo. Ond roedd ei synnwyr merch yn dweud wrthi na fyddai Gwyn yn dod â hi yma, ar wyliau i'r Swistir, ac yna'n gwneud rhywbeth a fyddai'n difetha'r hyn oedd yn blaguro rhyngddyn nhw.

Cusanodd Gwyn hi'n ôl.

Yna edrychodd i ffwrdd. Nid dyma'r lle, na'r adeg, i sôn am ryfel fudr yng Ngogledd Iwerddon a chynllwyn i newid gwleidyddiaeth Prydain. Nac i ddatgelu mai agwedd o'r cynllwyn hwnnw oedd yr ymgyrch llosgi tai haf yng Nghymru. Hyd yn oed os oedd ei frawd yn rhan ohono.

Ac wedi ei ladd am hel gwybodaeth am y rhai a oedd y tu ôl iddo.

Am fradychu eu prosiect 'Meibion Glyndŵr'.

15
Gwaredigaeth

Hedodd yr hofrennydd yn gyflym ar draws Môr Iwerddon. Dyrnai dwb-dwb-dwb ei ddau rotor ar hyd wyneb y düwch islaw, tra ymchwyddai ac ymgiliai hwnnw'n ddioglyd a didaro ac estyn ato ambell dafod gwyn a hisian o frig ei donnau. Roedd yn hedfan yn isel. Roedd ei beilotiaid am osgoi, cyhyd ag y gallen nhw, hedfan i'r uwd cymylau a oedd wedi cronni o'u blaen ac uwch eu pennau.

Fu dim sôn o gwbl am gronni cymylau na niwl yn y rhagolwg tywydd a gawson nhw yn Aldergrove. Edrychodd Tanner draw at Rickard, y peilot llywio. Roedd y ddau ohonyn nhw wedi blino, wedi gorfod gwneud y daith ar ben shifft arferol. Ond roedden nhw'n flin hefyd. Ar wahân i'r rhagolwg tywydd diffygiol, roedd pob un *Mark 2* fel hwn wedi ei atal rhag hedfan y diwrnod cynt. Doedd yna'r un *Mark 1* – hen ond dibynadwy – ar gael; roedd Rickard wedi gofyn. A chael merwino'i glustiau am ei drafferth. Roedd yn dal i wingo.

Daeth Jackson, y criwmon, drwodd atyn nhw.

— Sut mae'r tyrcwn?

Gwenodd Jackson wrth glywed enw Tanner am y *VIP*s yn y cefn ac atebodd eu bod nhw'n griw digon rhyfedd.

— Pob siâp. Rhai mewn lifrai, rhai yn eu dillad eu hunain.

— Rhyw bethau Gwasanaethau Cudd, *Intelligence* ac ati, ie?

— Ie, debyg. A ddim yn hapus iawn chwaith.

— Safa yn y ciw!

— Ie, 'ntê. Ond dydw i ddim yn meddwl mai'r *hassle* sy'n poeni'r rhain.

— Taflegrau *IRA*?

— Dyna o'n i'n ei feddwl i gychwyn. Dwi'm isio roced *SAM* i fyny 'nhin mwy na neb arall, ond 'dan ni 'di gadael Iwerddon ers meitin 'ŵan. Mae 'na rywbeth arall yn mater efo'r rhein.

— Be, 'lly?

— Wel, dwi 'di gneud tipyn go lew o'r tripiau 'ma i'r Alban. Ac fel arfer dim ond ryw un neu ddau, tri ella, o rai fel hyn sy'n dod ar y tro.

Roedd Jackson yn cnoi ei wefus.

— Tro 'ma, maen nhw i gyd yma.

— Be ti'n feddwl?

— Y Tîm. Mae'r Tîm i gyd yma... A mwy.

Daeth llais Rickard i'r sgwrs.

— Ydi o'n rhywbeth i'w neud efo'r trafodaethau heddwch? Maen nhw fel tasen nhw o ddifri'r tro 'ma, rŵan mae'r Yanks 'di dechre ymyrryd.

— Wel, mae'n rhaid bod 'na rywbeth go fawr ar ddigwydd.

— Ella'u bod nhw i gyd yn mynd i gael y sac.

Chwarddodd Jackson a rhoi slap cyfeillgar i ysgwydd Tanner. Aeth yn ôl i'r caban cefn a'r 'tyrcwn' anhapus, anghyfforddus.

A chliciodd y caban yn ôl i'w *routine* cyfarwydd a'r undonedd a oedd cymaint yn ddwysach oherwydd ei fod yn undonedd dynion blinedig.

Bwriodd yr hofrennydd yn ei flaen. Roedd y tir mawr o'u blaenau o'r golwg yn y niwl. Edrychodd Tanner ar y *GPS*.

Roedd yn gwybod bod yr *altimeter*, mesurydd eu huchder uwchben y ddaear, yn ddiffygiol. Ond roedd yna dechnegydd newydd fod yn edrych ar y *GPS*.

Roedd popeth yn iawn. A beth bynnag, roedd Tanner a Rickard wedi gorfod canfod eu llwybr 'dan amgylchiadau anffafriol' o'r blaen. Gwenodd Tanner yn eironig iddo'i hun. 'Amgylchiadau anffafriol' oedd ochr arall y geiniog i beilotiaid y lluoedd arbennig.

A diawc, dim ond *milk run* oedd hwn.

Aeth yr hofrennydd i mewn i'r niwl a theimlodd pawb drwy'r hofrennydd yr oerni yn y gwynder a lapiai o'u cwmpas. Roedd y gwres ymlaen ond fe deimlai fel petai tymheredd y caban wedi gostwng sawl gradd a bod ei foelni llwydwyrdd yn sydyn yn llwytach ac yn fwy llwm.

Rhywle yn y gwynder o'u blaen roedd Kintyre ac yno dan gysgod ei mynyddoedd roedd angen newid cwrs, troi i'r chwith a dilyn yr arfordir i Inverness. Tynnodd Rickard y golofn lywio'n ôl fymryn er mwyn eu codi'n raddol i uchder diogel. Teipiodd Tanner y newid i'r cyfrifiadur mordwyo, yn barod ar gyfer y tro.

Daeth mynydd i'r golwg.

Nid ochr mynydd, yn llethru i lawr o ucheldir ar y dde i ewyn a chreigiau'r môr oddi tanyn nhw ar y chwith. Ond wyneb creigiog yn codi uwch eu pennau ac yn ymestyn o'r golwg i bob cyfeiriad. Roedden nhw gannoedd o fetrau o'r man lle'r oedden nhw i fod.

Tynnodd Rickard â holl nerth ei fraw ar y liferi llywio. Ceisiodd godi'r cyflymder esgyn.

A llwyddodd.

Dechreuodd yr hofrennydd godi a throi.

Ond roedden nhw rhyw ganllath o'r mynydd, yn teithio ar gyflymder o gan pum deg not.

Trawodd yr hofrennydd bigau craig frig. Malwyd ochr dde'r trwyn a rhwygwyd y rhan fwyaf o'r gwaelod a'r gynffon i ffwrdd. Adlamodd yn ôl i'r awyr â'i rotorau'n dal i droi ac yn hacio sleisiau o'i ochrau. Trodd yn ffyrnig yn yr awyr am bron i ddau gan llath cyn glanio ar ei gefn a hollti'n ddau. Llithrodd y darnau drwy'r rhedyn am rai llathenni ond o fewn eiliadau roedd y cwbl yn weddillion llonydd. Gorweddai fel celain, a'i asennau wedi eu chwalu'n agored a'i berfedd ar hyd y tir. Yr unig symudiad yn ysgyrion yr esgyrn oedd cilio a chynyddu tafodau tân y tanwydd a chwildroi tawel y mwg du.

A dawnsio niwl y mynydd.

Clo

Cododd y dyn ei ben o'i liniau. Rhwbiodd llawes ei grys ar draws ei lygaid, i'w sychu; roedd rhuthr ei deimlad yn cilio. Tynnodd anadl ddofn, yna'i gollwng hi'n araf deg gan adael i'r gwynt lenwi tu blaen ei geg a bolio ei wefusau. Edrychodd o'i gwmpas, a sylwi ei bod hi'n heulog a'r awyr yn las, a bod carreg y drws o dan ei law yn gynnes.

"Gwy-yn!" Llais Rhian o'r llofft.

"Ie?"

"Mae Now 'di deinig lawr staer. 'Nei di'i ddal o rhag iddo fynd i helynt?"

"'Na i."

Cododd Gwyn ar ei draed a chamu i mewn i'r tŷ. Rhensiodd ei fwg a'i roi â'i ben i lawr i ddiferu wrth ochr y sinc. Yna aeth at y bwrdd i godi'r papur newydd. Edrychodd unwaith eto ar y rhesi o wynebau a'r pennawd:

"Heroes all."

Ac oddi tano: "Kintyre tragedy: was it IRA missile?"

Plygodd y papur a'i daflu i'r swp cynnau tân.

Clywodd dwmpian traed bach meddal a throdd i weld Now yn pitran i mewn i'r gegin a gwaelod ei siyrcyn yn fflapio'n damp o gwmpas ei liniau. Gwenodd Gwyn.

"Wel lle mae dy glwt di, Now bach?"

Trodd y bychan a phwyntio i'r cefn gan weithio ei wefusau tlws a'i lygaid gloyw tywyll i ffurfio bras eiriau'r hanes. Gwrandawodd Gwyn yn astud, a phorthi.

Yna plygodd at y twdlyn a'i godi, a'i osod i eistedd ar ei fraich. "Ty'd i ni weld." Aeth y ddau drwodd i'r cefn ac yno ar waelod y staer, yn lwmpyn gwrthodedig, oedd y clwt.

Edrychodd Gwyn ar ei fab.

"Wyt ti'n meddwl y dyle Now wisgo'i glwt?"

Unwaith eto'r parablu, a'r pwyntio, a hwnnw i bob math o lefydd diddorol, ond ddim at y clwt.

"Ie, 'ntê," meddai Gwyn wrtho gan geisio, a methu, edrych yn llym. Cododd y clwt â blaenau bys a bawd a'i osod ar un ochr mewn swp ychydig bach yn dwtiach nag o'r blaen. Yna galwodd i fyny'r staer.

"Rhian?" Fe allai'r VAT *aros. "Dwi am fynd â Now am dro."*

Daeth llais ei wraig o'r llofft. "Iawn. Paid â gadael iddo oeri."

Bachodd Gwyn gardigan gwflog fach streips o fraich y soffa ac aeth allan i'r haul. Cerddodd i lawr y buarth â'i gefn yn syth a'i gamau'n bwyllog a Now yn gafael yn dynn yn ei goler.

Roedd yn bryd i Owain Gwyn Lloyd gael mynd i'r mynydd. I weld y griafolen. A throchi ei draed yn y nant.

Ac i Gwyn wneud rhuglen frwyn iddo.

Bore Da
Gwennan Evans

'Nofel ddychanol a dynol; cymeriadau cofiadwy a digwyddiadau sy'n siŵr o godi gwên' **Llwyd Owen**

Nofel gan nofelydd newydd sy'n llais adnabyddus ar Radio Cymru - Gwennan Evans. Mae Bore Da yn dilyn hanes Alaw Mai sydd wedi gweithio'n ddiflino ar raglen radio foreol Richie ar PAWB FM. Ond, un bore, daw ei chyfle mawr...

Nofel llawn hiwmor.

YR ALARCH DU

RHIANNON WYN

'Nofel gyffrous sy'n llawn dirgelwch' Caryl Lewis

Un eiliad, un castell, un alarch, un corff.

Mae'r ffair wedi dod i Gaernarfon ac wedi cael effaith andwyol ar dri o drigolion y dre - Mathew, John a Lara. Dyma'u hanes, yn eu geiriau eu hunain, dros gyfnod o bedwar diwrnod.

Stori am ffawd, am berthynas ac am ddiweddglo trasig.

Pentre Saith

Ceri Elen

'Nofel ffres, llawn dychymyg gan awdur sydd wrth ei
bodd â sŵn geiriau a rhythm brawddegau.' Bethan Mair

Mae Cain yn gweld golygfa na ddychmygodd ei thebyg erioed.
Mae'n synnu. Mae'n rhyfeddu.   Mae'n cyffroi drwyddo.

Mae'n gweld diwedd y daith. Mae'n gweld dechrau taith.
Mae'n gweld – Pentre Saith

Lleucu Roberts

SIARAD

Trychineb yn Efrog Newydd.
Damwain yng Nghaerdydd.

y Lolfa

Efrog Newydd 9/11. Mae awyren ar fin taro un o'r tyrau.
Caerdydd 9/12. Mae ergyd yn chwalu un teulu yn deilchion.

Dyma stori gyfoes am ddigwyddiad echyll a'i effeithiau
dwys ar fywyd un teulu. Nofel seicolegol ar gyfer oedolion
a'r arddegau gan awdures brofiadol.

Am restr gyflawn o nofelau cyfoes Y Lolfa,
mynnwch gopi o'n catalog newydd, rhad
neu hwyliwch i mewn i'n gwefan

www.ylolfa.com

Ile gallwch archebu llyfrau ar lein

y Lolfa

TALYBONT CEREDIGION CYMRU SY24 5HE
ebost ylolfa@ylolfa.com
gwefan www.ylolfa.com
ffôn 01970 832 304
ffacs 832 782